KB075627

자동화 설비보전

자동화 설비보전

발　행 | 2024년 04월 18일
저　자 | 김원종
펴낸이 | 한건희
펴낸곳 | 주식회사 부크크
출판사등록 | 2014.07.15.(제2014-16호)
주　소 | 서울 금천구 가산디지털1로 119, SK트윈타워 A동 305호
전　화 | 1670 - 8316
이메일 | info@bookk.co.kr

ISBN | 979-11-410-8172-0

www.bookk.co.kr

자동화 설비보전

CONTENT

머리글

<차례>

NCS 학습모듈

참고: 자동화설비 NCS 학습 모듈 순서

01 LM1501020106 체결요소설계
02 LM1503010112 조립도면작성
03 LM1503010119 전기전자장치조립
04 LM1503010204 센서 활용 기술
05 LM1503010205 모터제어
06 LM1503010211 PLC제어특수모듈프로그램개발
07 LM1503010213 HMI프로그램개발
08 LM1503010215 공기압제어
09 LM1503010216 유압제어

머리글

4차 산업혁명 이후 자동화 기술은 급격히 진행되고 있다.

자동화는 산업현장뿐만 아니라, 기업과 소상공인, 가정집, 대형건물 등 적용되지 않은 곳이 없을 정도로 보편화 되었다.

가술은 급변하고 자동화 시설은 초연결되어 기계 설비 및 가상현실에서 적용되고 있다.

이에 자동화 기술의 기초에서부터 고급 기술까지 배움의 폭은 더욱 다양해지고 전문가되어 기술의 격차는 점차 넓어지고 있는 것이 사실이다.

특히 고성능화, 다기능화, 네트웍화, 인공지능화로 인해 기술 수준은 더욱더 높아지고 있다.

하여 기계,전기,전자,정보통신 기술자에 있어서도 특정 분야의 기술 보다는 융합적인 기술 지식의 습득은 필수가 되고 있다.

책의 주요 내용은 자동화 기술을 배우고자는 하는 이들에게 자동화 기술에 대한 요소 범위에 대해 특히 NCS학습 모듈을 익히기전 그 내용을 소개하는 것으로 구성하였다. 특히 생산자동화 기술에 기초를 두고 NCS 각 학습모듈의 내용을 진행 하기전 과목 소개를 통해 자동화의 이해를 돕고자 내용을 구성하였다.

또한 설비관리의 중요성이 더욱 높아짐에 따라 설비관리의 기초적 내용과 진단, 향후 기업에서 당면할 관리절차에 대해 소개하였다.

특히 진동과 소음의 기초적 내용과 더불어 설비관리를 위한 공구, 측정기를 통해 자동화 설비를 익히는 이들에게 조금이나마 도움을 주고자 문제 풀이 형식으로 책을 집필하였다. 특히 PLC와 PC제어에 대한 지식을 본인 스스로 찾아보고 해결 함으로 자동화 설비의 지식과 이해를 돕고자 한다.

이 책의 내용으로 자동화 설비에 입문하는 학생, 엔지니어 등 다양한 분야에 종사하는 분들에게 조심이나마 학습에 도움이 되었으면 한다.

제 1 장 설비보전과 진단

설비 점검은 설비가 동작하지 않는 시간에 오감을 이용하여 유지,보수 작업을 실시하나 설비 진단은 설비가 가동중에 계측기를 이용하여 유지,보수 및 해석함으로 설비의 고장을 미연에 방지하는 것을 의미한다.

1.1 설비 진단

1.1.1 설비 진단의 목적와 필요성

현재 기계, 설비는 대형화, 다양화, 고속화됨에 따라 설비보전과 진단은 기업의 이윤을 위한 중요한 경영요소로 자리잡고 있으며 그 중요성은 더욱 강조되고 있다.

설비 진단을 통해 기계 설비의 데이터 신뢰성을 확보하고 고객의 크레임과 설비 고장을 미연에 방지할 뿐만 아니라, 설비의 수명 연장에 기여하고 있다.,

기계요소에는 체결용, 동력전달용, 축용, 제어용, 관용 기계요소로 분류할 수 있다.

1) 데이터의 신뢰성 (오감 점검 불가능)
2) 크레임방지 (제품의 불량, 납기 지연)
3) 설비 고장의 미연 방지 (부품 구입, 교체 시간 Loss)
4) 설비 수명 연장 (환경 오염, 재해사고)

[산업현장에서의 설비]

- 설비의 신뢰성(Reliability) 확보
- 보전성(Maintainability) 확보
  : 설비의 고장시 조기 조치로 보전하기 쉬움
- 경제성(Economy)
  : 설비의 신뢰성, 보전성 활동을 위한 비용의 최소화

1.1.2 설비진단기술

설비 진단은 설비의 상태를 미연에 파악하여 이상을 예측하는 기술을 말하며 센서 기술과 해석 및 평가 기술이 필요하다.

펌프, 모터와 같은 회전기계의 경우 속도와 가속도 측정을 통한 진동 진단 기술이 탱크와 같은 구조물의 경우 압력, 온도 등을 측정하는 계측 진단 기술이 베어링과 엔진 같은 윤활과 마모가 따르는 기계 설비의 경우는 점도와 수분등의 측정을 통한 윤활유 진단기술이 필요하다.

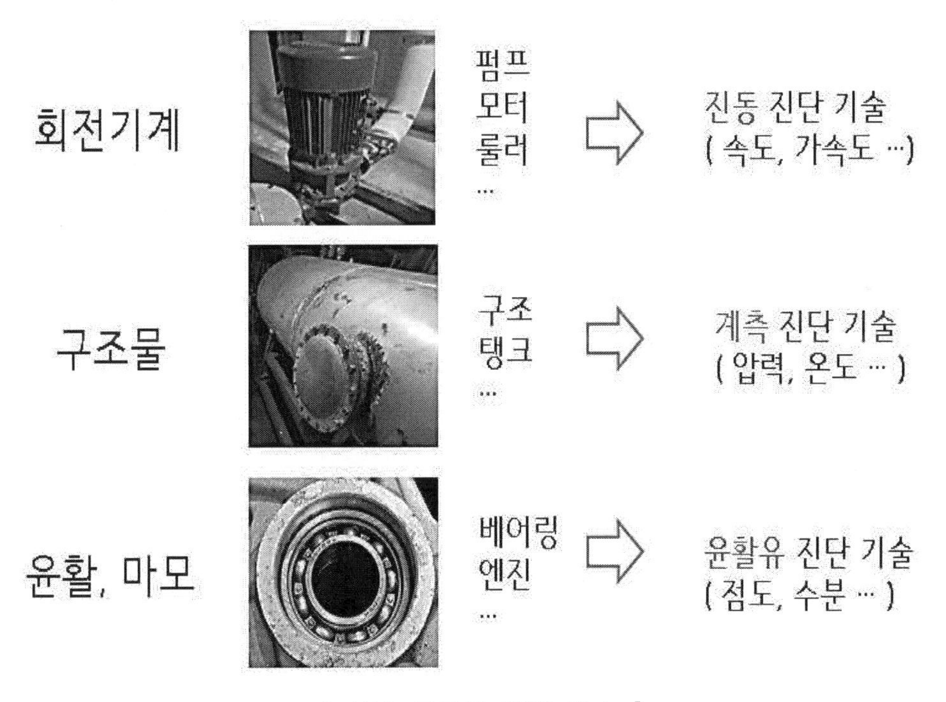

[설비 분류별 진단 기술]

1) 진동분석

기계의 진동을 측정, 분석 → 진동 패턴, 주파수, 진폭, 위상, 비정상 진동 패턴 평가

2) 온도측정

부품의 온도를 모니터링 → 발열 문제를 감지 (열화상 카메라, 온도 센서 사용)

3) 소음분석

기계의 소음 스펙트럼을 분석 → 소음 패턴 감지, 식별 (소음 레벨 미터, 소음계기)

4) 모니터링

진동 데이터 및 기계 상태 정보를 수집, 분석하고 문제를 진단

5) 오일(기름) 분석

기계의 오일 샘플을 채취 → 부품 마모, 오일 오염, 부식, 미립자 농도 등 평가

6) 전류 및 전압 측정

전류 및 전압 측정 → 모터 및 전기 장비의 작동 상태를 평가

1.1.3 설비진단기술의 구성

자동화된 설비의 경우 현장 작업자나 오퍼레이터가 일정한 교육, 훈련하에 간이로 설비의 상태를 진단하게 되며, 정기 및 예방 보전 등 기업의 계획 정비에 따라 설비를 정밀 해석 및 전문기술을 이용하여 기술 전문 요원이나 기술 관리인원이 참여하여 설비를 보전, 진단하게 되는 경우가 많다.

전문 요원이 정량적 계측, 계산 → 고장해석, 진단 → 추정

전문 요원의 경우 일정한 절차에 따라 정량 계측하게 됨으로 항상 동일 페벨로 판단이 가능하며 설비의 데이터 수집을 통해 경향을 관리함으로써 설비

의 수명을 예측하여, 돌발적인 중대 설비고장을 미연에 방지할 수 있다.

설비보전 및 진단활동은 설비의 성능 저하 및 고장으로 인한 기업의 손실을 최대한으로 줄이는데 그 목표이 있으며 기능으로는 기술적인 측면, 경제적인 측면과 인간적인 측면이 있다.

- 기술적인 측면 (절차 수립, 보전 및 진단, 실시 및 대책)

기업과 현장의 상황에 따라 설비보전 및 진단에 대한 기업 절차를 설정하고 그 절차에 따라 설비보전 및 설비진단의 계획을 세워 실시하고 기록한다.

- 경제적인 측면

효과적인 보전 진단 활동을 위해 적은 비용으로 많은 수익을 올리기 위해서는 목표 설정이 수반된다.

목표(보전방침)를 설정하게 되면 보전,진단 활동시의 비용 즉, 경제적 합리성(기업 상황에 따른 비용의 적절성)을 검토한다.

기업 예산의 편성과 보전 및 진단 실행에 따른 예산의 통제를 통해 효과를 점검한다.

- 인간적인 측면

보존 및 진단 활동을 위한 전문 요원의 인력 관리 및 전문 교육 및 훈련 지원을 통한 보전 및 진단 기술을 향상시킨다.

1.1.4 설비보전의 범위, 조직

(1) 사용 자재에 관리 범위

- 토 지 : 작업장 등의 관리
- 건 물 : 사무, 공장, 창고 등의 건물
- 움직이는 기계 및 장치
- 차량 : 운반, 이동 가능한 기구
- 공기구 및 비품 : 치구, 생산용 공구, 측정기, 사무용 기기

(2) 목적에 따른 분류

- 생산설비
- 유틸리티(UTILITY) : 에너지 장치 및 이송 장치

- 연구개발 설비, 수송설비, 판매설비

(3) 기능별 조직 : 설비 보전, 진단을 위한 기능 조직
(관리부, 보전부, 제조부)

(4) 전문 기능 조직 : 기계, 전기 등 전문 기술 분야를 분류한 조직
(5) 지역별, 제품별, 단위 공정별 조직 (제1구역, 제2구역)

- 생산설비
- 유틸리티(UTILITY) : 에너지 장치 및 이송 장치
- 연구개발 설비, 수송설비, 판매설비

1.2 설비보전(진단) 계획

설비보전(진단)계획은 신규 사업의 개발 및 혁신, 확장, 제품의 다품종 소량생산 등 변경이나 생산 규모의 변경이 있는 경우 항상 실시된다.
또한, 설비는 기업의 제품 발전 및 주변 기술 발전에 따라 구형이 되기도, 재활용이 되기도 하며, 기업 경쟁력(생산력) 향상을 위해 설비의 경제성을 고려하여 신설과 신규 구입 및 개조등이 필요하다.

설비 투자가 발생하는 예
- 설비개조 비용 절감 목적
- 생산품의 양적 확대
- 신규 제품에 따른 대한 개량 및 신제품 개발 투자
- 기업의 전략적 투자

1.2.1 설비 고장 분석과 대책

(1) 고장 분석의 필요성
현장에서 설비운영 중 고장 발생시, 경우에 따라 수리전,후 설비의 고장의 원인과 이유를 분석하게 된다.

(2) 고장 분석의 순서와 방법

현장에서 설비 고장 시 분석 순서

데이터 수집 → 기초적 분석 → 조사항목 → 데이터 축적 → 고장분석 → 대책

현장에서 설비 고장 시 분석 방법

상황 분석, 특성 요인 분석, 행동 개발, 의사 결정, 변화 기획

(3) 설비 보전 효과

- 설비 고장으로 인한 설비 정지에 따른 생산 손실 감소
- 설비 보존비 감소
- 설비 고장에 따른 제품 불량 감소
- 설비 가동률 향상
- 예비 설비의 필요성 감소시 자본 투자 감소
- 제조 원가절감
- 근로자의 안전 (설비의 유지가 잘 되어 보상비나 보험료 감소)
- 설비 고장으로 인한 납기 지연 감소

(4) 기업 설비 중점 사항 및 설비 보전 용어

- 생산량확보 (P: production)
- 납기 (D: delivery)
- 품질 (Q: quality)
- 안전성, 환경 확보(S: safety)
- 비용 (C: cost)
- 의욕 향상(M: morale)

- 고장 점검수리(Trouble shooting)
- 교정(Calibration)
- 기능 검사
- 대체 또는 교체
- 수리, 대수리 작업
- 윤활 관리
- 재설치, 제거, 점검, 조정
- 설비 고장 방지 활동 3요소 (청소, 급유, 조이기)

(5) 설비 고장 방지 활동

(이물, 급유 불량, 체결 부품 결합)

- 이물발생원

1) 가공 이물(절삭, 연삭 공정에서 발생하는 절분, 냉각수 등)을 줄이거나 제어.

2) 이물(누유, 누수, 습동 부품의 마모 분, 낙하부품 등)을 제거.

3) 이물(포장재, 청소도구, 기류를 타고 온 먼지, 벌레 등)의 관리, 건축물 구조 개선.

- 급유불량

1) 급유점·윤활류의 막힘, 오염, 유량의 과부족, 누설

2) 급유탱크·배관·이음새의 손상, 막힘, 누설, 오염

- 체결부품 결함

1) 볼트, 너트의 부식, 이완, 굴곡, 걸림 부족, 나사 끝의 망가짐

1.2.2 설비의 최적 보전 선택

1970년대부터 종래의 정기보전이나 사후보전체계에 설비진단기술을 활용한 예지보전에 대한 방법과 기술을 사용하고 있다.

생산기술의 급격한 변화에 대응하기 위해서는, 기업 종사가 모두가 참여하는 생산보전에 즉 TPM 활동과 설비의 상태를 정량적으로 관측하는 설비진단기술 CDT(Machine Condition Diagnosis Technology) 및 설비의 상태(Machine Condition)에 따라 보전을 하는 예지보전 CBM (Condition Based Maintenance :CBM)이 필수적으로 사용되고 있다.

설비보전은 분류상 보전 = 예방 보전 [정기 보전(TBM)+ 예지 보전(CBM)] + 사후 보전(BM) + 개량 보전(CM) 을 포함한다.

* 보전 (Maintenance)

PM : 예방 보전 (Preventive Maintenance)

CM : 개량 보전 (Corrective Maintenance)

BM : 사후 보전 (Breakdown Maintenance)

TBM : 시간기준 예방보전 (Time Based Maintenance)
CBM : 예지 보전 (Condition Based Maintenance)
PBM : 계획 사후보전 (Planned Breakdown Maintenance)
EBM : 돌발 사후보전 (Emergency Breakdown Maintenance)

1.2.3 예지보전

(예지보전(CBM)의 추진방법)

예방보전(PM)은 사용시간을 근거로 하여 보전을 실시하는 시간기준예방 보전(Time Based Preventive Maintenance : TBM)과 설비를 정기적으로 분해·검사하고 불량인 것은 교환하는 분해·점검형 보전(Inspection&Repair)으로 구성된 정기보전과, 설비진단 기술에 의해 설비의 상태(Machine Condition)를 관측하여 그 관측치에 따른 보전을 실시하는 상태기준예방보전(또는 예지보전:Condition Based Preventive Maintenance : CBM)으로 구성된다.

사후보전(BM)은 경제성을 고려하여 계획적인 전략으로서 고장날 때까지 사용하여 보전한다라고 하는 계획사후보전(Planned Breakdown Maintenance PBM) 방식과, 예상 외의 고장을 긴급 교체 또는 복구하는 긴급사후보전(Emergency Breakdown Maintenance : EBM)으로 분류할 수 있다.

사후보전 중 계획 사후보전(PBM)은 전략적으로 행하는 보전임으로 있어도 좋지만, 긴급사후보전(EBM)은 적을수록 좋다.

긴급사후보전(EB)을 제외한 3가지의 보전 방식은 어느 것이 좋고 어느 것이 나쁘다고 말할 수 없으며, 설비의 열화특성과 예방보전의 비용, 돌발고장에 의한 생산손실, 환경, 안전문제 등의 크기에 의해 선택하여야만 한다.

예방보전(PM)은 진보된 방식이고, 사후보전(BM)은 좋지 않은 방식이라고 정해 버리는 것』 은 정말로 위험한 것이다.
즉, 보전방법은 그 설비가 처한 경제적 환경과 대상 설비의 중요성 및 열화특성에 의해, 최적인 방법을 선택해야 한다.

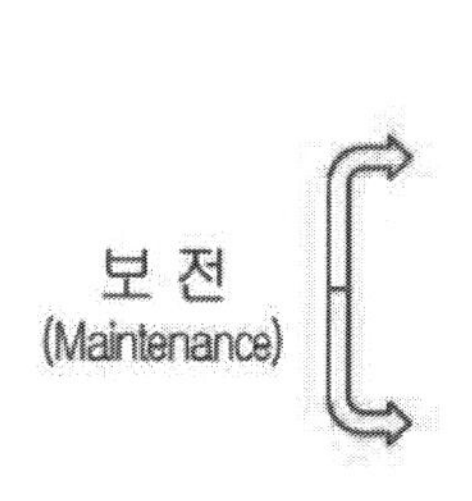

PM : 예방 보전
(Preventive Maintenance)

CM : 개량 보전
(Corrective Maintenance)

BM : 사후 보전
(Breakdown Maintenance)

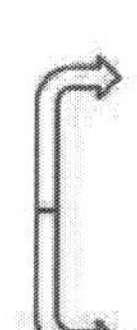

TBM : 시간기준 예방보전
(Time Based Maintenance)

CBM : 예지 보전
(Condition Based Maintenance)

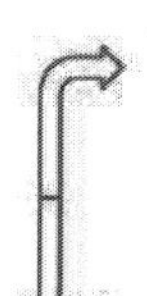

PBM : 계획 사후보전
(Planned Breakdown Maintenance)

EBM : 돌발 사후보전
(Emergency Breakdown Maintenance)

[보전 활동의 종류]

1.2.4 예지보전의 방법

예지보전은 일련의 계획보전 체제구축을 위해 다음과 같은 전제조건이 필요하다.

① 자주보전, 개별개선의 진전으로 강제열화가 없어지고 자연열화만이 진행되는 상태일 것

② 돌발고장이 줄고 보전담당자가 설비진단기술을 습득하여 이를 실천할 수 있는 기회(진단장비, 교육, 시간 등)가 있을 것

해당설비의 중요성과 고장의 빈도 및 열화형태 등 여러 가지 요인을 생각하여 적당한 보전방식을 BM, TBM, CBM 중에서 선택한다.

CBM이 가장 경제적이라고 판명되면 그 등급을 결정한다.

예지보전(CBM) 시스템의 도입을 위해 보전방식의 종류와 예지보전(CBM)의 등급은 다음과 같다.

예지보전(CBM)을 도입하려면 CBM이 사후보전(BM) 또는 시간기준 예방보전(TBM) 등의 다른 보전방식과 비교하여 경제적으로 유리한지 검토를 해야한다.

CBM은 기능과 도입가격에 의해 고급CBM시스템(CBM 1), 중급CBM시스템(CBM 2), 간이CBM시스템(CBM 3)의 3등급으로 분류된다.

여러 요인을 검토하여 경제적으로 최적 등급의 CBM을 채택해야 한다.

CBM의 3등급은 다음과 같은 특징이 있다.

① 간이CBM시스템(CBM 3) : 오감점검 또는 운반이 가능한 간이 진단기기에 의해 설비의 상태를 정기적으로 간이진단하여 보전을 결정하는 가장 싼 가격의 CBM시스템이다.

(간이진동계, 비접촉식 온도계, 전류계 등) 생산현장의 운전요원 혹은 보전요원은 점검해서 기록해야 할 많은 설비관리 관련 체크리스트가 있다.

현장의 바쁜 일정 또는 급한 다른 일로 인해 이러한 체크 활동은 뒤로 미루어지거나 하지 않게 되어 설비의 컨디션에 따른 기초적 데이터의 신뢰성 있는 수집 자체가 의심스러워 이를 장기적 설비관리에 반영할 수 없을 뿐 만 아니라 회사의 주요한 자산인 지식자산으로서의 가치를 확보할 수 없는 것이 현실이다.

PDA(Personal Digital Assistant)보급으로 종이 없는(Paperless) 보전활동과 바코드(Bar Code)를 활용해 점검시간과 점검을 간편하고 쉽게 기록하는 기법을 사용하고 있다.

1998년도 처음으로 외국에서 등장한 이러한 방식은 L화학에서 도입하여 정부로부터 2003년도 설비보전 우수사례로 표창받는 등 여러 기업으로 빠르게 확산 되어가고 있다.

현장 인원들이 업무 감시 도구로 거부되는 등의 반발도 있어 이를 활성화하기 위한 교육과 타기업 사례가 널리 알려져 업무가 간편해지고 신뢰성 있는 데이터 수집이 가능하다는 인식이 확산 되어야 한다.

② 중급CBM시스템(CBM 2) : CBM 3에 추가하여, 정밀진단기기에 의한 설비상태를 정기적으로 정밀진단하여, 보전을 결정하는 중급 그레이드의 CBM 시스템이다.

(진동장비-FFT, Ultrasonic, Thermography, Oil Analyzer 등) 즉, 정기적인 간이진단과 정밀진단에 의해 보전을 결정하는, 가장 잘 알려진 CBM이다.

CBM(Condition Based Maintenance) 입장에서 도입된 진동측정 관련 기술은 보편화된 기술이며, 대부분의 기업은 외산 장비를 구입해 진동 데이타를 구축해 놓고 있다. 이 데이터는 향후 설비의 경향관리에 있어서 중요한 자료인 것만은 사실이다. 각종 데이터를 향후 지표로서 관리하여야 하는 것은 당연한 것이며, 선진국에서는 이를 진동장비 공급업체로 하여금 Open System화 할 것을 요청하여 자주보전의 PDA 점검자료, 유분석, 초음파분석 열화상분석(Thermography) 데이터를 통합하여 관리하고 자사의 실질적 지식창고에 저장하고 있으며, 공급업체가 이를 거부할 경우에는 그 회사 장비는 향후 구입하지 않는 등 소비자 권리를 발동하고 있다.

③ 고급CBM시스템(CBM 1) : 자동진단기능을 가진 연속설비 감시모니터를 설치한 시스템이다.
(진동장비 - FFT, Ultrasonic, Thermography, Oil Analyzer 등의 장비를 온라인상에서 구현하는 시스템)

1.2.4.1 예지보전 추진시 순서

예지보전기술 중에서 중요도가 70% 정도로 강조되는 진동법에 대해 회전계의 이상 진동진단 사례이다.

① 목적은 무엇인가 : 고장을 예지하는 것인가, 불량을 예지하는 것인가?
② 유닛 단위인가, 부품 단위인가 : 검사 단위가 유닛단위인가, 부품 단위로 조사하는가?
③ 이들의 성능열화상태는 알 수 있는가 : 유닛이나 부품의 마모가 시간과 더불어 점증형이 되고 있는가?
④ 파라미터로서 생각할 수 있는 것은 무엇인가? (변위, 속도, 가속도)
⑤ 그 파라미터의 측정은 어떤 것인가?
(어떤 기기로 무엇을 측정하는가? 예. 진동은 주파수를 측정)
⑥ 정기적으로 측정한다.
⑦ 파라미터와 기능열화의 상관은 있는가? (파라미터)
⑧ 잠정기준(경계값, threshold)의 설정 : 열화정도로 추정하여 잠정 한계 기준값을 설정한다.
⑨ 설비의 분해 조사 : 잠정기준을 벗어난 것을 분해·조사하고 상태를 체크한다.
⑩ 상관관계를 실증한다 : 데이터를 누적 시키면서 파라미터와 성능열화의 상관 관계를 입증한다.
⑪ 경향관리 시스템을 만든다 : 경향관리 시스템 등을 만든다.

변 위 : 변위량 또는 움직임의 크기 그 자체가 문제가 되는 이상
(공작 기계의 진동 현상 회전축의 요동)
속 도 : 진동 에너지나 피로도가 문제가 되는 이상
(회전 기계의 진동)
가속도 : 충격력 등과 같이 힘의 크기가 문제가 되는 이상
(베어링의 흠집 진동, 기어의 흠집 진동)

[종류별 측정 파라미터]

1.2.4.2 예지보전 추진시 유의점

예지보전을 추진하는 순서를 현장에서 실천하는 경우에는 다음에 유의하면서 추진한다.

① 설비진단기술 습득을 위한 교육·훈련 : 스태프가 중심이 되어 진동진단을 중심으로 한 설비 진단기술 교육을 한다.
② 정착화를 위한 각종 시책 추진 : 시기를 보아 사례 발표회, 진단 뉴스의 발행 등, 매너리즘화 방지와 정착화를 목표로 한 활동을 지속적으로 추진한다.
③ 오퍼레이터에 대한 간이진단 교육 : 오퍼레이터에게도 예지보전의 일부를 담당하도록 하기 위해 자주보전의 수준을 보고 간이진단을 할 수 있도록 교육·훈련을 한다.
④ 보전캘린더에의 반영 : 계획보전의 실천으로서 연간·월간의 보전캘린더에 반영시켜 정착화한다.

설비진단은 눈에 띄지 않고 지속성을 기대할 수 없기 때문에 경영자의 지원이 중요하다.

1.2.4.3 설비진단기술

생산설비를 효율성높게 유지관리하기 위해서는 대상이 되는 설비의 상태(Machine Condition)를 정량적으로 진단하는 기술이 필요하다.

예지 보전(CBM)을 실행하기 위해서는 설비의 상태, 즉 설비 고장의 원인이 되는 모든 스트레스(적용 스트레스와 환경 스트레스), 설비의 열화와 고장, 성능과 운전 상태를 정확하게 파악하기 위한 설비진단이 필수적이다.

예지보전을 위한 설비진단기술에 대해 나타내면 다음과 같다.
이 중에서 진동법이나 유분석법 등이 실무에서 특히 자주 이용되고 있다.

No	설비진단기술	진 단 내 용
1	온도법	온도를 측정함으로써 설비진단을 실시하는 방법으로 온도의 변화를 판독하여 설비의 이상을 파악하는 방법
2	유분석법	설비에 사용되고 있는 작동유, 윤활유, 절연유 등을 분석함으로써 마모상태나 열화상태를 파악하여 설비의 진단을 실시하는 방법
3	누설검지법 (Leak Detection)	초음파, 할로겐 가스 등을 사용하여 설비의 결함상태파악 및 누설량을 측정하여 Sealing부의 결함상태를 파악하는 방법
4	균열검지법 (Crack Detection)	* 자분탐상검사 : 금속재료를 자화시킨후 지분을 뿌려 결함부위에서의 집결상태로 파악하는 방법 * 형광액침투검사 : 광명단을 금속표면에 도포후 Crack 부위의 결함상태를 진단하는 방법
5	진동법	설비 각부위 진동을 측정함으로써 설비진단을 실시하는 방법으로 변위량, 가속도를 검출하여 설비의 결함을 파악하는 방법
6	음향법	회전부 등의 운동 상태를 파악하기 위하여 음의 크기를 진동수와 진폭을 이용하여 Microphone 등으로 측정하여 결함부위와 크기를 측정하는 진단방법
7	부식진단법	배관 내의 금속표면의 부식 및 열화상태를 파악하는 진단방법
8	압력법	압력을 측정함으로써 설비진단을 실시하는 방법으로 압력손실, 토출압 등을 변수로 해서 설비의 이상을 판단하는 방법
9	치수측정법	설비 각 부위 칫수를 측정함으로써 설비진단을 실시하는 방법으로 치수변환에 따라 설비이상을 판단하는 방법
10	전기저항법	전기기기의 전기저항치를 측정하여 기기의 이상을 판단하는 방법
11	절연측정법	전기기기 또는 선로의 절연저항치를 측정하여 기기의 이상을 판단하는 방법
12	전도도측정법	용수가 공급되는 설비의 Scale 생성방지를 위하여 전기전도도에 의한 수질측정방법
13	pH측정법	용수가 공급되는 설비의 부식발생방지를 위하여 pH(산성도)에 의한 수질측정방법
14	회전속도측정법	회전체의 속도를 측정하여 기기의 이상여부를 판단하는 방법

[예지보전을 위한 설비진단기술(CDT)]

1) 온도를 측정함으로써 설비진단을 실시하는 방법으로 온도의 변화를 판독하여 설비의 이상을 파악하는 방법
2) 설비에 사용되고 있는 작동유, 윤활유, 절연유 등을 분석함으로써 마모상

태나 열화상태를 파악하여 설비의 진단을 실시하는 방법

3) 초음파, 할로겐 가스 등을 사용하여 설비의 결함상태파악 및 누설량을 측정하여 Sealing부의 결함상태를 파악하는 방법

4) *자분탐상검사 : 금속재료를 자화시킨후 자분을 뿌려 결함부위에서의 집결상태로 파악하는 방법

*형광액침투검사 : 광명단을 금속표면에 도포후 Crack 부위의 결함상태를 진단하는 방법

5) 설비 각부위 진동을 측정함으로써 설비진단을 실시하는 방법으로 변위량, 가속도를 검출하여 설비의 결함을 파악하는 방법

6) 회전부 등의 운동 상태를 파악하기 위하여 음의 크기를 진동수와 진폭을 이용하여 Microphone 등으로 측정하여 결함부위와 크기를 측정하는 진단방법

7) 배관 내의 금속표면의 부식 및 열화상태를 파악하는 진단방법

8) 압력을 측정함으로써 설비진단을 실시하는 방법으로 압력손실, 토출압 등을 변수로 해서 설비의 이상을 판단하는 방법

9) 설비 각 부위 칫수를 측정함으로써 설비진단을 실시하는 방법으로 치수변환에 따라 설비이상을 판단하는 방법

10) 전기기기의 전기저항치를 측정하여 기기의 이상을 판단하는 방법

11) 전기기기 또는 선로의 절연저항치를 측정하여 기기의 이상을 판단하는 방법

12) 용수가 공급되는 설비의 Scale 생성방지를 위하여 전기전도도에 의한 수질측정방법

13) 용수가 공급되는 설비의 부식발생방지를 위하여 pH(산성도)에 의한 수질측정방법

14) 회전체의 속도를 측정하여 기기의 이상여부를 판단하는 방법

제 2 장 진동

2.1 진동

진동이란 진자의 좌,우 흔들림 등 시간 간격을 두고 반복되는 운동과 그에 작용하는 힘에 대한 학문이다.

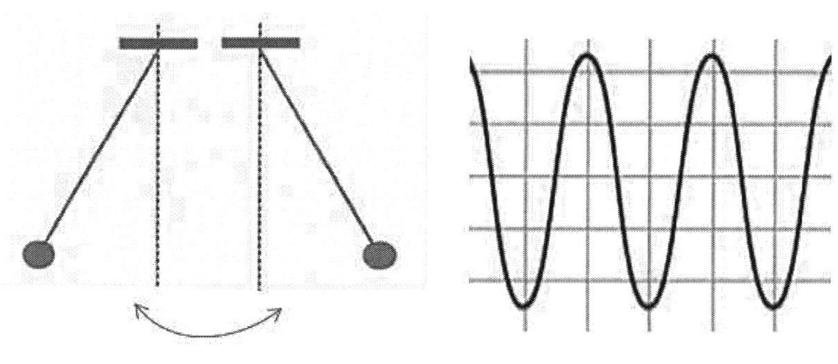

[진자의 흔들림과 반복 주기]

2.2 진동의 분류

(1) 자유진동과 강제진동

- 자유진동(free vibration)

  : 계를 초기 가진(변위, 속도)후 더 이상의 외력을 가하지 않고, 자체로 움직이는 진동 → 고유진동수(natural freqency)로 진동

- 강제진동(forced vibration)

  : 계에 작용하는 외력에 의한 진동 (가끔 반복적 힘)

  → 강제진동수(forced freqency)로 진동, 자동차 엔진

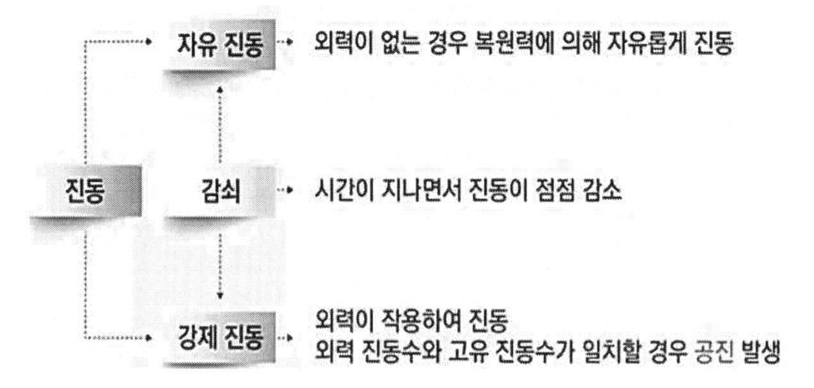

(2) 비감쇠 진동과 감쇠진동

- 비감쇠 진동(undamped vibration)

  : 운동중에 (마찰이나 다른 저항에 의한) 어떠한 에너지도 소멸 없이 반복적으로 발생하는 진동

- 감쇠진동(damped vibration)

  : 마찰이나 다른 저항에 의한 에너지 소멸이 발생하는 진동

(3) 선형진동과 비선형진동

- 선형진동(linear vibration)

  : 진동계의 모든 요소들(질량, 스프링, 감쇠)이 선형적으로 거동하는 결과로 나타나는 진동 → 가진력 ∝ 변위

- 비선형진동(non-linear vibration)

  : 진동계의 기본요소들 중 하나라도 비선형적 거동을 하는 결과로 나타나는 진동

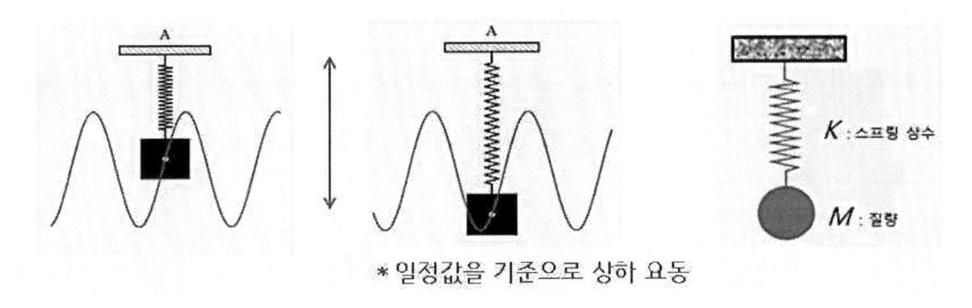

* 일정값을 기준으로 상하 요동

(4) 확정진동과 확률진동

- 확정진동(deterministic vibration)

  : 계에 작용하는 가진요소(힘 혹은 운동)의 값이 어느 주어진 시간에 알려져 있는 경우의 진동

- 확률진동(random vibration)

  : 가진력이 예측될 수 없는 경우 발생하는 진동

  (Ex. wind, road roughness, earthquakes에 의한 진동)

2.3 진동의 피해

(1) 기계적 손상

① 베어링, 기어와 같은 기계 부품의 마모

② 내부 응력의 주기적 변화로 인한 재료 피로에 기인한 파괴

③ 기계공작 제품의 손상

- 절삭 가공 진동으로 인한 제품의 표면가공 손상

④ 공진(resorence)현상

- 구조물의 과대한 처짐(혹은 변형), 파괴

(2) 소음발생

구조물 진동에 의한 공기 입자들의 운동 전파

(구조물 진동에너지의 일부가 공기 압력 변동으로 변화)

(3) 인체에주는 영향

피로와 안락감의 저해

안전과 건강에 유해한 정도까지도 가능

2.4 진동의 이용

초음파 세척조, 착암기와 pile priver, 안마기, 세탁기, 공작물 표면처리 공정, 재료의 진동시험

불필요한 진동을 줄이거나 피하기 위한 설계 혹은 기존 기계 시스템의 진동 제어 또는 진동을 이용한 기계 시스템 설계

2.4.1 진동의 표현

1) 피크값 (최대값)

2) 피크 - 피크 (피크값의 2배)

3) 실효값 (진동을 에너지로 표현하기 적당한 값)

4) 평균값

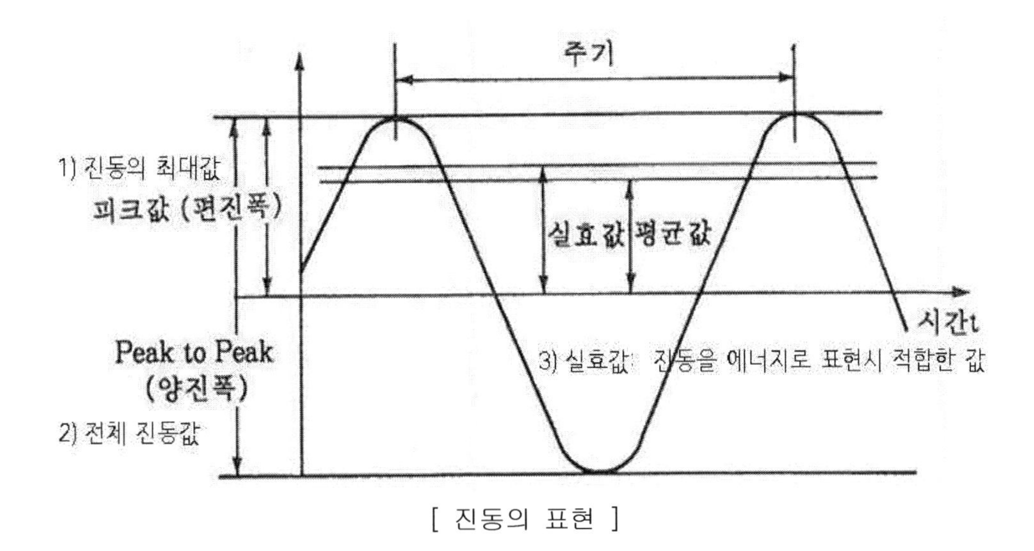

[진동의 표현]

2.4.2 진동의 크기

1) 진폭 (변위, 속도, 가속도)
2) 진동수 (f) : 진동의 1사이클에 걸린 총 시간 (진동주기)
3) 진동 위상 (Phase) : 순각적 위치 및 시간의 지연

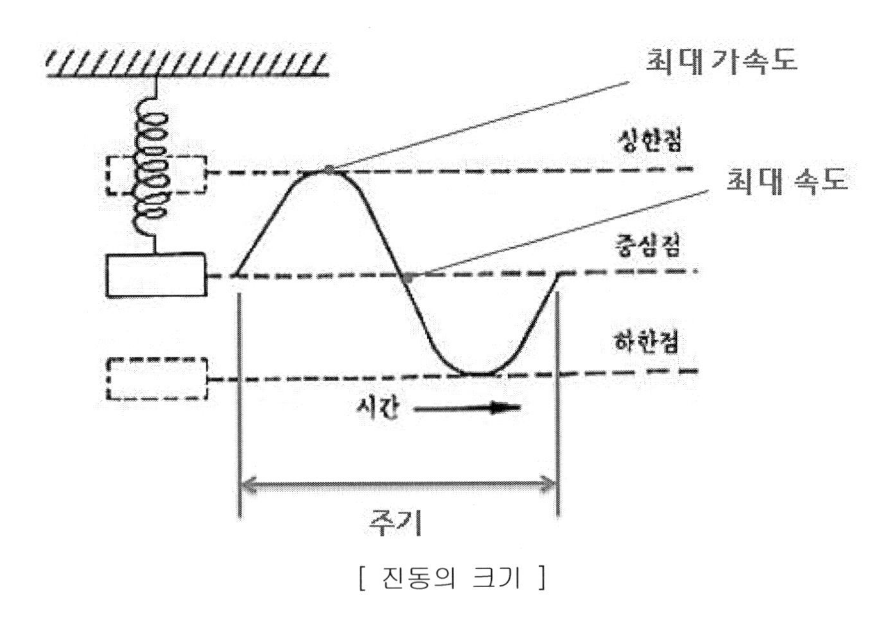

[진동의 크기]

2.4.3 진동의 물리량 파악

기계 내부에 이상이 발생하면 진동의 크기와 변화를 가져온다.
진동은 측정 및 해석을 통해 기계의 고장 징후를 파악할 수 있다.

회전기계(모터)의 진동 파악

1) 모터의 회전 → 모터 로터의 원심력 발생
2) 로터의 좌우 구조는 동일 → 회전시 진동은 발생하지 않음
3) 만약 로터 결함 발생시 → 로터 이상 구조에 원심력으로 진동 커짐

2.4.4 진동의 측정

- 진동 측정기

: 진동 신호를 전기신호로 변환하는 측정기
(가속도, 속도, 변위 측정값을 계산하여 분석하는 장비)

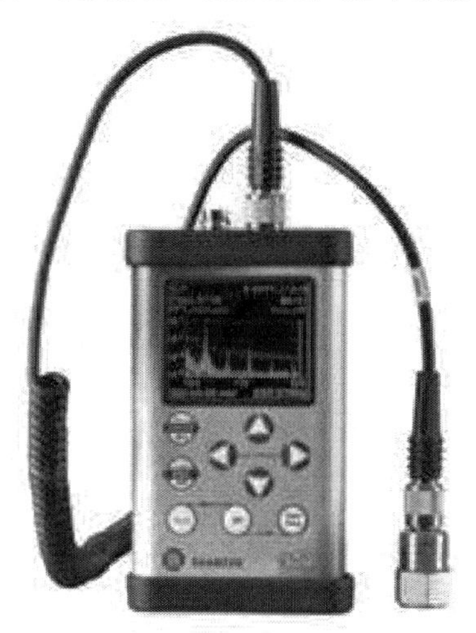

[진동측정기 VANTEK 102A]

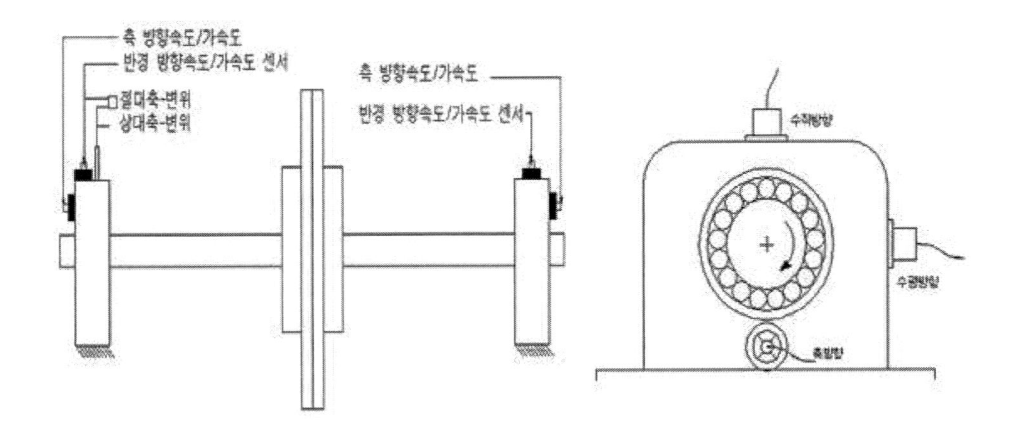

[회전체-베어링 설비의 진동 측정시센서 위치]

제 3 장 소음

3.1 소음

소음이란 교통, 생활 대화, 항공기 등의 기계의 진동이나 마찰, 회전, 충격에서 발생하는 불규칙적이며 여러 가지 주파수가 섞인 큰 음량의 소리이다.

- 교통 소음
- 생활 소음
- 항공기 소음
- 공장 소음
- 철도, 항공기 소음

청각으로 느끼는 감각공해로써 물리적 현상

피해범위가 좁아 국지적이며, 소음이 발생할 때만 느끼는 일과성

어떤 기계가 60 dB의 소음을 발생하는 경우 이와 동일한 기계가 10대 가동하면 소음의 크기는 70 dB가 되며 사람의 귀로는 약2배로 크게 느끼게 된다.

3.1.1 소음의 단위

dB은 소음의 단위이다.

dB(deciBell)은 'deci'와 'Bell'이란 영어의 합성어로 되어 있다.

어원을 그대로 살펴보면 'deci'는 10분의1 이란 뜻을 가지고 있고, 'Bell'은 대문자로 시작한다.

우리가 잘 알고 있는 전화기의 발명자 Dr. Bell의 이름에서 유래가 되었다.

측정기의 소음을 감지하는 감지부 및 감지된 값을 변환하여 우리가 알아볼 수 있도록 아날로그나 디지털 신호로 바꾸어 주는 시스템이 Dr. Bell이 발명한 전화기에 기인하여 만들어졌다.

구리 코일을 동그란 원통으로 말아서 가운데로 자석을 움직이면 전기가 발생되며 그 전기신호를 음성이나 떨림의 형태로 변환시키는 것이 전화기의 원리이다.

소음측정기의 원리도 동일하다.

전화기는 전기로 박판을 진동시킴으로써 소리를 발생시키지만, 측정기는 이러한 전기를 Analog나 Digital신호로 만든다.

120dB	· 전투기의 이착륙소음
110dB	· 자동차의 경적소음
100dB	· 열차 통과시 철도변 소음
90dB	· 소음이 심한 공장 안 · 큰소리의 독창
80dB	· 지하철의 차내소음
70dB	· 전화벨(0.5m) · 시끄러운 사무실
60dB	· 조용한 승용차 · 보통회화
50dB	· 조용한사무실
40dB	· 도서관 · 주간의 조용한 주택
30dB	· 심야의 교외 · 속삭이는 소리
20dB	· 시계 초침 · 나뭇잎 부딪치는 소리

[소음원 사례별 소음의 크기]

출처: 국가소음정보시스템

3.1.2 소음측정 및 측정방법

소음측정대상이 공장, 생활, 건설, 교통, 철도, 항공기 소음인가에 따라서 측정계획을 달리하나 크게 정상, 변동, 충격 소음으로 측정하게 된다.

(1) 정상소음

① 소음레벨 : 소음계

② 주파수 분석 : 측정준비 → 소음계, 기록계, 녹음기 → 주파수 분석기, 기록계 → 측정결과정리 → 해석

(2) 변동소음 (불규칙한 변동, 발생시간이 긴 소음)

① 소음레벨

측정준비 → 소음계, 녹음기 → 기록계 → 측정결과정리 → 해석

② 주파수 분석

측정준비 → 소음계, 녹음기 → 주파수 분석기, 기록계 → 측정결과 정리 → 해석

(3) 충격소음 (폭발음, 기계 프레스 소음)

① 소음레벨

측정준비 → 소음계 → 오실로스코프 → 측정결과 정리 → 해석 녹음기 → 기록계 순간지속시간이 0.25초 이하의 경우는 충격소음계 이용

② 주파수 분석

측정준비 → 소음계 → 주파수 분석기 → 오실로스코프 → 측정결과 정리 → 해석 녹음기 기록계

(4) 측정조건 (측정 지점)

측정지점 : 공장의 부지 경계선 중 피해가 우려되는 장소로 소음이 높을것으로 예상되는 지점의 지면 위 1.2~1.5m 높이에서 측정

측정조건 : 소음계는 측정자의 몸으로부터 50cm 이상 떨어진곳에서 측정

측정사항 : 소음발생기기를 가능한 한 최대출력으로 가동 시킨 상태에서 측정

3.1.3 소음측정장비

소음측정장비는 간이, 일반, 정밀 측정기로 구분된다.

[간이소음계, 정밀소음계, 일반보통소음계]

소음은 다수의 주파수 성분으로 합성되어 있어 복잡한 파형을 이루며 그 파형을 측정하기 위해서는 주파수 분석기가 필요하다.

제 4 장 설비공구와 측정기

4.1 측정

기계 가공 부품과 기계 요수는 치수, 모양 형상 등이 도면에서 요구한 조건과 일치하지 않으면 그 기능과 성능을 발휘하지 못할 것이다.

측정은 국가와 사회, 기업의 이윤, 소비자의 제품성능 만족 등을 좌우하는 중요한 요소이다.

* 측정
  : 측정 양을 수치와 단위의 곱으로 표현
* 검사
  : 주어진 규정에 만족하는가를 결정

4.2 측정의 종류와 방식

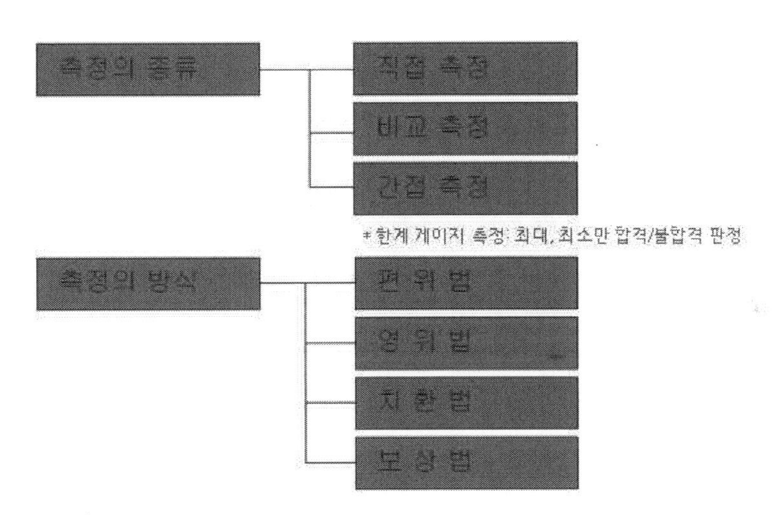

*편위 : 치우침, 한쪽으로 기울어진 상태
*치환 : 1) 어떤 순열을 다른 순열로 펼침, 2) 바꾸어 놓음

1) 직접측정(절대측정)

측정기를 직접 제품에 접촉시켜 실제 길이를 알아내는 방법으로 버니어켈리퍼스(vernier calipers), 마이크로미터(micrometer), 각도자 등이 사용된다.

2) 비교측정

피측정물에 의한 기준량으로부터 변위를 측정하는 방법으로 다이얼 게이지 등이 사용된다.

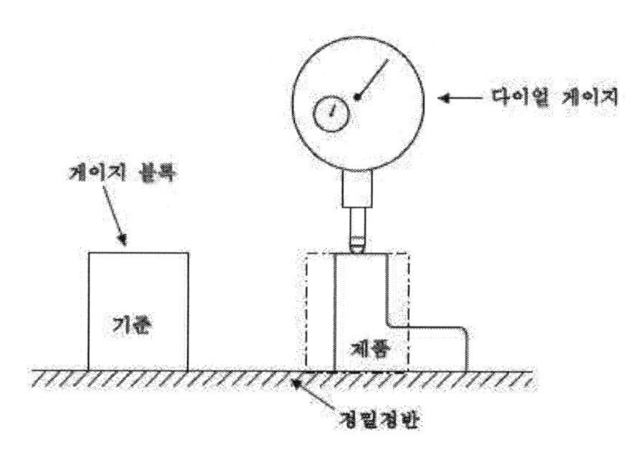

3) 간접측정

표준 치수의 게이지와 비교하여 측정기의 바늘이 지시하는 눈금에 의하여 그 차이를 읽는 것으로 사인바, 핀 게이지, 옵티 미터, 공기 마이크로미터, 전기 마이크로미터 등이 사용된다.

4.3 측정의 오차

계통적으로 발생하는 오차 : 계기오차, 환경오차, 개인오차

1) 계기 오차 : 교정시 오차, 측정기의 제작기술, 구조, 마찰, 마모, 기계적 변형, 기하학적 문제, 비선형 성분 등이 있으며 정기적 점검으로 교정값을 적용으로 오차 최소화한다.

- 측정기의 정도 결정 KS규격 : 온도 20℃, 기압 760mmHg, 습도 58%
- 계기 오차 : 측정기의 구조, 측정압력, 측정온도, 측정기의 마모 등의 오차

※ 온도변화 t ℃에 따라 생기는 변화량λ는 길이ℓ과 열팽창계수α로 표현됨

$$\lambda = \ell \cdot \alpha \cdot t$$

2) 환경 오차 : 온도, 습도, 진동, 전기장, 자기장 등은 환경보정장치를 설치하여 감소할 수 있다.

3) 개인 오차 : 측정자 개인의 오차
- 눈금읽기 오류, 계산오류, 측정기 선택 부적정, 0점조정 오류, 불안정한 측정
- 신뢰성을 얻고자 하는 개인적인 의지와 숙련도 필요

- 감도 : 측정기가 감지할 수 있는 최소량 - 지시량의 변화/측정량의 변화
- 정도 : 측정오차를 객관적으로 표시하기 위한 척도 - 정확도+정미도

- 정확도 : 측정값이 참값으로부터 치우치는 수준 - 모평균에서 참값을 뺀 값
- 정밀도 : 측정값의 흩어진 양의 수준으로 정의되므로 모 표준편차로 표시

  * 우연오차에 의해 발생되므로 통계적 방법으로 감소가능

4.4 측정에 미치는 여러 영향

1) 압축에 의한 변형

2) 굽힘에 의한 변형

   *측정물에 압축, 굽힘이 생긴다.

3) 기하학적 문제

   *측정해야 할 길이를 자로 사용되는 눈금의 연장선상에 놓는다.
   (아베의 원리)

4) 물리적 문제

   : 열행창

   *물체는 온도에 늘어나거나, 줄어든다.

   : 광학적 문제

   * 눈으로 읽는 경우 시차가 발생한다.

4.5 측정기

1) 도기 : 일정한 길이나 각도를 눈금으로 면으로 표시한 것

- 선도기 (눈금으로 표시)
- 단도기 (간격을 길이로 나타냄)

2) 지시 측정기 : 측정 중에 표점이 눈금에 따라 이동하거나 기준선을 따라 이동하는 측정기

- 버니어캘리퍼스
- 마이크로미터

3) 시준기 : 시준선 또는 조준선을 측정물에 맞추어 사용하는 측정기
  - 현미경
  - 망원경
  - 투영기

4) 인디케이터 : 일정량의 조정이나 지시에 사용하는 것
  - 다이얼 인디케이터
  - 테스트 인디케이터

5) 게이지 : 측정할 때 움직이는 부분을 갖지 않는 것으로 측정기의 가동 부분을 고정한 것.
  - 피치 게이지
  - 한계 게이지

설비보전 공구, 측정기 연습문제

연습문제 1 (설비 공구, 측정기)

1) 다음 그림에서 보여주는 정비용 측정기는 무엇인가?

2) 다음 그림에서 보여주는 정비용 측정기는 무엇인가?

3) 다음 그림에서 보여주는 정비용 측정기는 무엇인가?

4) 다음 그림에서 보여주는 정비용 측정기는 무엇인가?

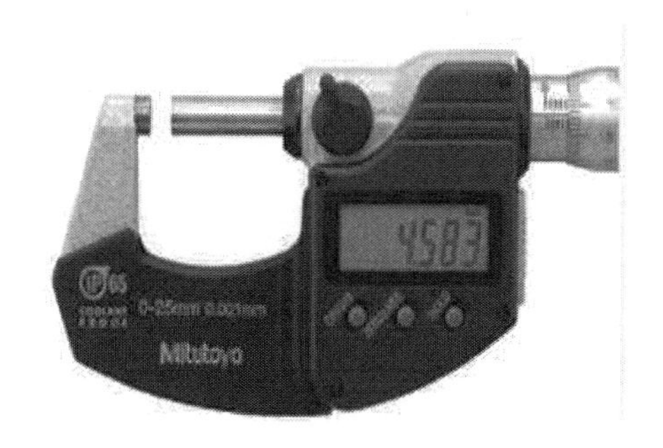

5) 다음 그림에서 보여주는 정비용 측정기는 무엇인가?

6) 다음 그림에서 보여주는 정비용 측정기는 무엇인가?

7) 다음 그림에서 보여주는 기계요소는 무엇인가?

8) 다음 그림에서 보여주는 기계요소는 무엇인가?

9) 다음 그림에서 보여주는 기계요소는 무엇인가?

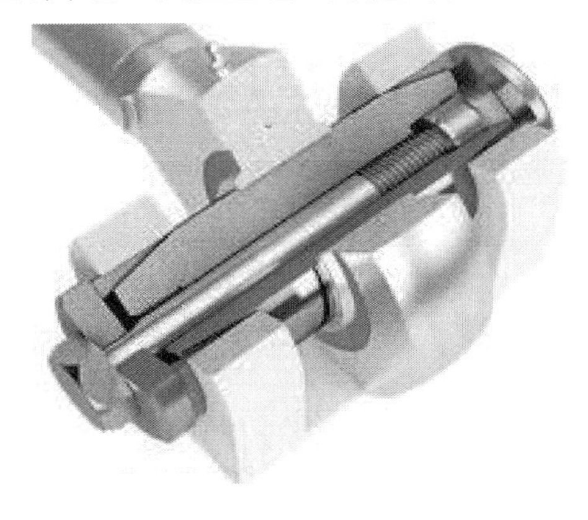

10) 다음 그림에서 보여주는 기계요소는 무엇인가?

11) 다음 그림에서 보여주는 기계요소는 무엇인가?

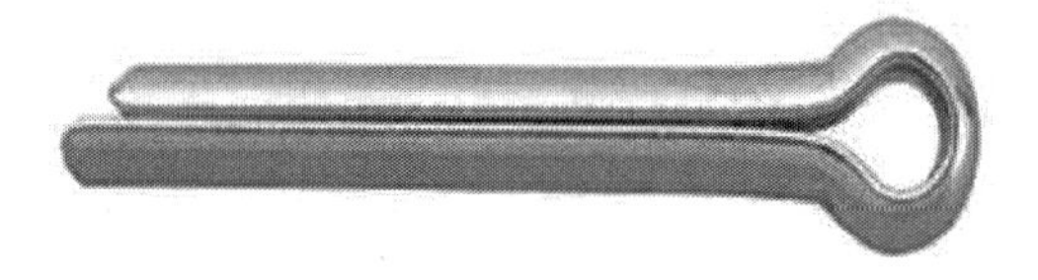

12) 다음 그림에서 보여주는 기계요소는 무엇인가?

13) 다음 그림에서 보여주는 기계요소는 무엇인가?

14) 다음 그림에서 보여주는 기계요소는 무엇인가?

15) 다음 그림에서 보여주는 기계요소는 무엇인가?

16) 다음 그림에서 보여주는 기계요소는 무엇인가?

17) 다음 그림에서 보여주는 기계요소는 무엇인가?

18) 다음 그림에서 보여주는 기계요소는 무엇인가?

19) 다음 그림에서 보여주는 기계정비는 무엇을 측정하는 것인지 작성하시오.

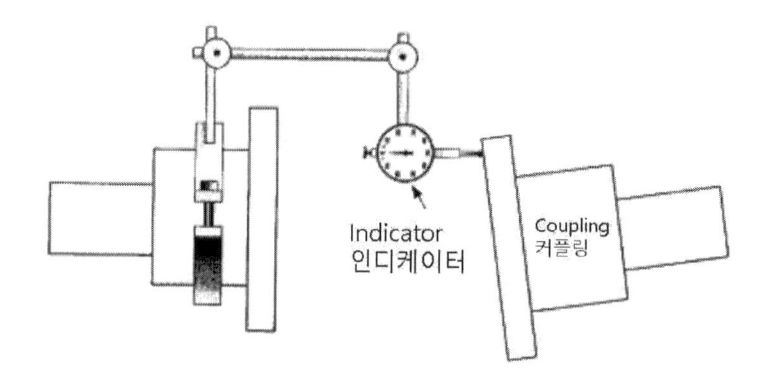

20) 다음 그림에서 보여주는 정비용 측정기는 무엇인가?

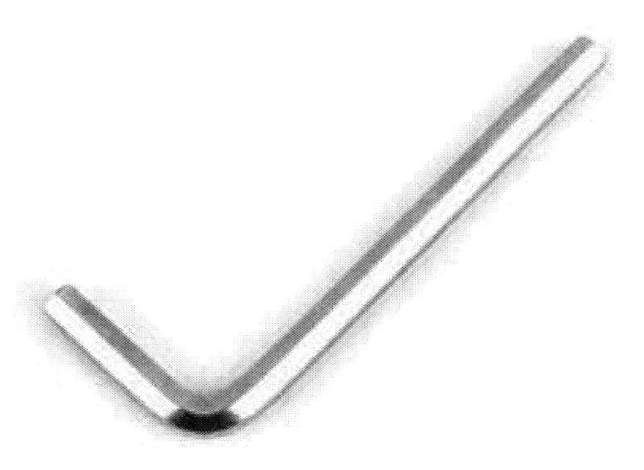

21) 다음 그림에서 보여주는 정비용 측정기는 무엇인가?

22) 다음 그림에서 보여주는 정비용 도구의 명칭은?

연습문제 1 모범 답안

1) 지시 소음계

2) 나사 플러그 게이지

3) 다이얼 외경 캘리퍼스

4) 외경 마이크로 미터

5) 하이트 게이지

6) 다이얼 게이지

7) 볼 나사

8) 탭 볼트

9) 관통볼트

10) 스터드 볼트

11) 분할 핀

12) 나비 너트

13) 구면 와셔

14) 반달 키

15) 스크루 엑스트랙터

16) 룰러체인

17) 유니버설 조인트

18) 디스크 커플링

19) 편각 측정

20) L 렌치

21) 몽키 렌치

22) 롱 로즈 플라이어

연습문제 2 (설비 공구, 측정기)

1) 다음 측정기의 종류와 측정값을 작성하시오.

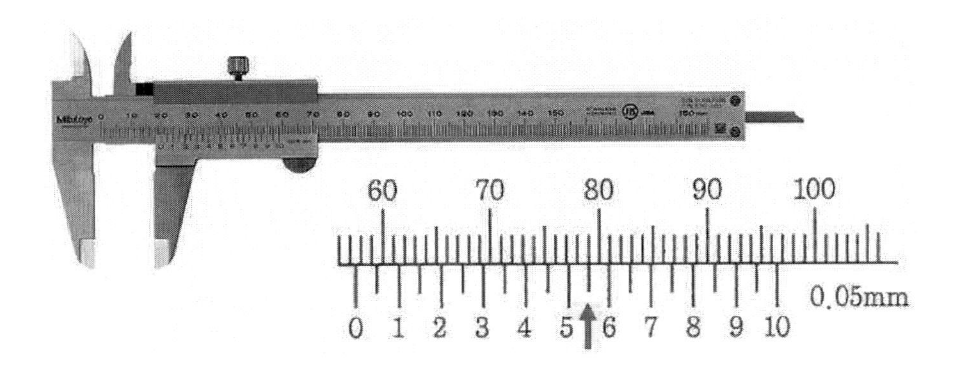

2) 미세 이송기구가 부착된 버니어캘러퍼스의 종류를 작성하시오.

3) 다음 측정기의 명칭을 작성하시오.

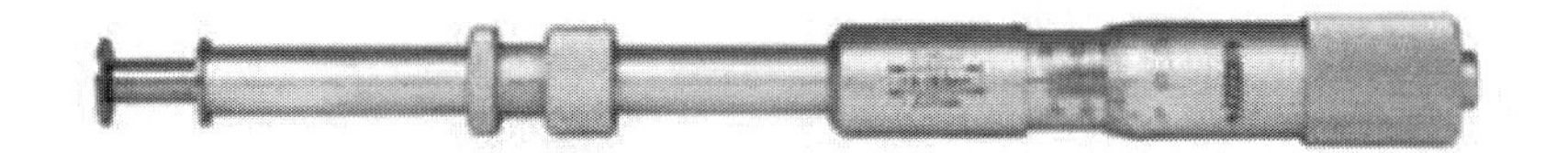

4) 다음 측정기의 명칭을 작성하시오.

5) 다음 그림에서 보여주는 정비용 측정기는 무엇인가?

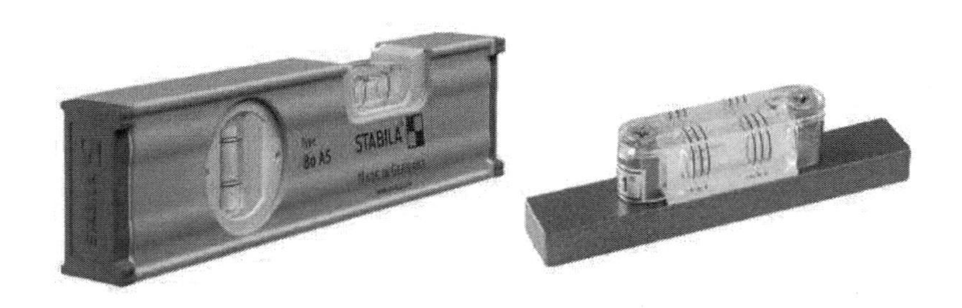

6) 다음 그림에서 보여주는 정비용 측정기는 무엇인가?

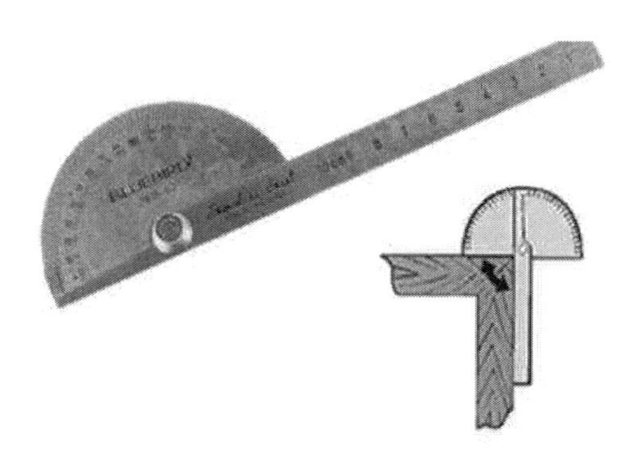

7) 다음 그림에서 보여주는 정비용 측정기는 무엇인가?

9) 다음 그림에서 보여주는 기계요소는 무엇인가?

9) 다음 그림에서 보여주는 기계요소는 무엇인가?

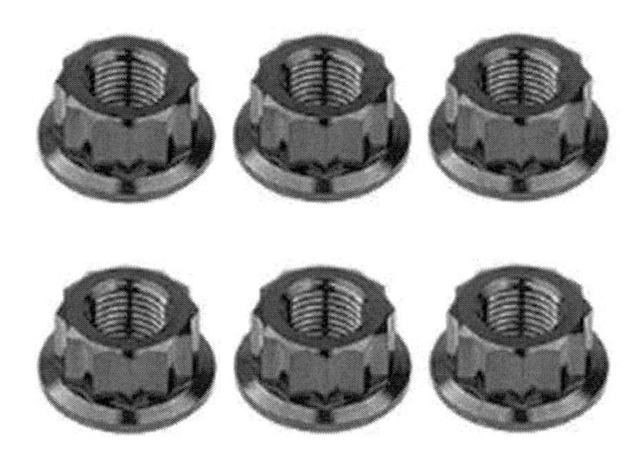

10) 다음 그림에서 보여주는 나사의 종류를 기입하시오.

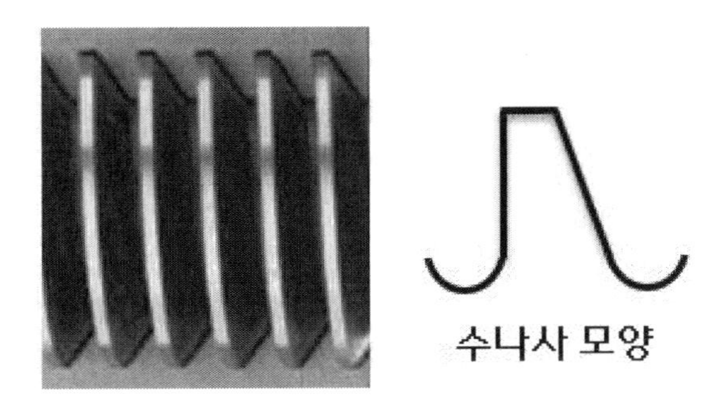

11) 다음 그림에서 보여주는 기계요소는 무엇인가?

12) 다음 그림에서 보여주는 기계요소는 무엇인가?

13) 다음 그림에서 보여주는 기계요소는 무엇인가?

14) 다음 그림에서 보여주는 기계요소는 무엇인가?

15) 다음 그림에서 보여주는 기계요소는 무엇인가?

16) 다음 그림에서 보여주는 기계요소는 무엇인가?

17) 다음 그림에서 보여주는 기계요소는 무엇인가?

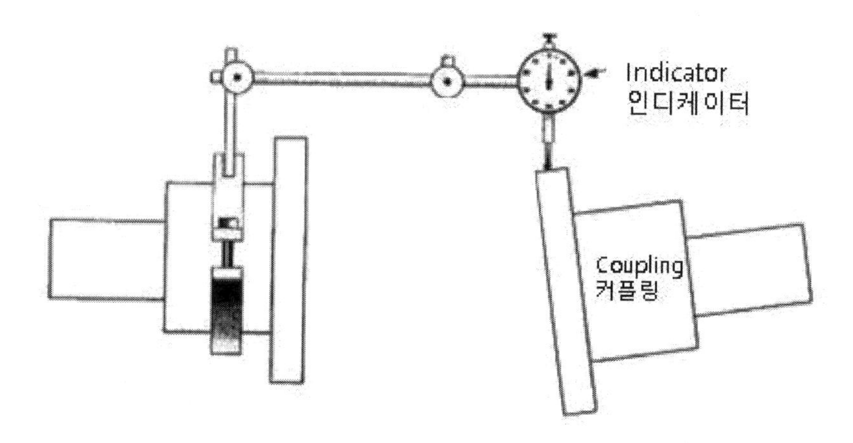

18) 다음 그림에서 보여주는 기계요소는 무엇인가?

19) 다음 그림에서 보여주는 공구는 무엇인가?

20) 다음 그림에서 보여주는 공구는 무엇인가?

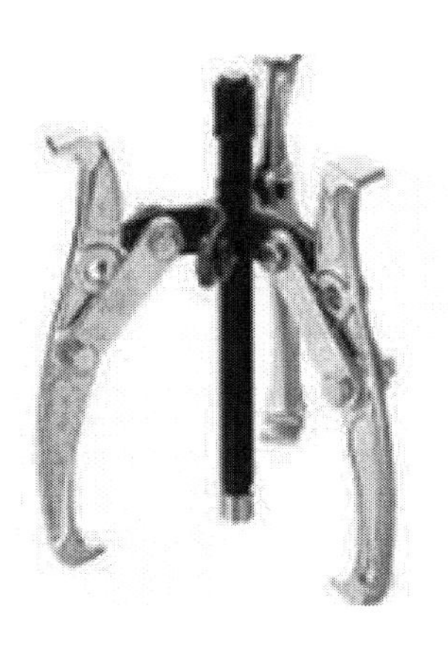

연습문제 2 모범 답안

1) M1형 버니어캘리퍼스, 57.55mm

2) 미세 이송기구 부착 버니어캘리퍼스:M2형, CB형, CM형

3) 그루브- 마이크로미터 (Groove MicroMeter)

4) 블록 게이지

5) 수준기

6) 분도기

7) 센터게이지

8) 아이볼트

9) 12 포인트 너트

10) 톱니 나사

11) 스프링 와셔

12) 차축

13) 크랭크 축

14) 구름 베어링 (볼 베어링)

15) 유니버설 조인트

16) 디스크 커플링

17) 편심 측정

18) 소켓 렌치

19) 타격 스패너

20) 기어 풀러

연습문제 3 (설비 공구, 측정기)

1) 다음 측정기의 측정값은?

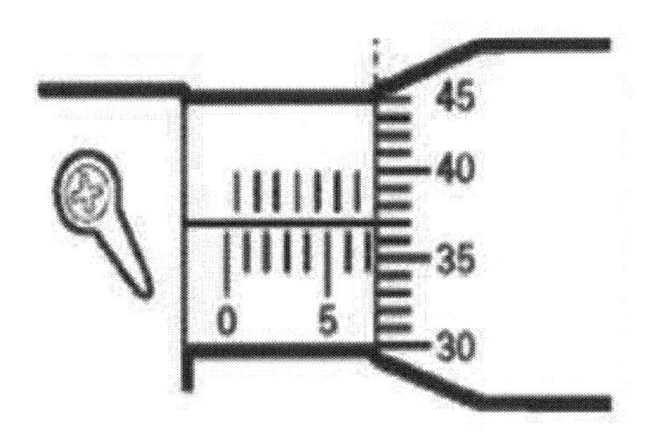

2) 다음 그림에서 보여주는 공구는 무엇인가?

3) 다음 그림에서 보여주는 기계요소는 무엇인가?

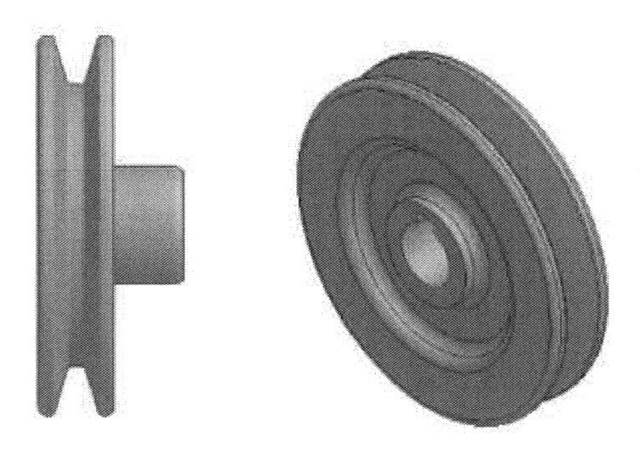

4) 다음 그림에서 보여주는 기계요소는 무엇인가?

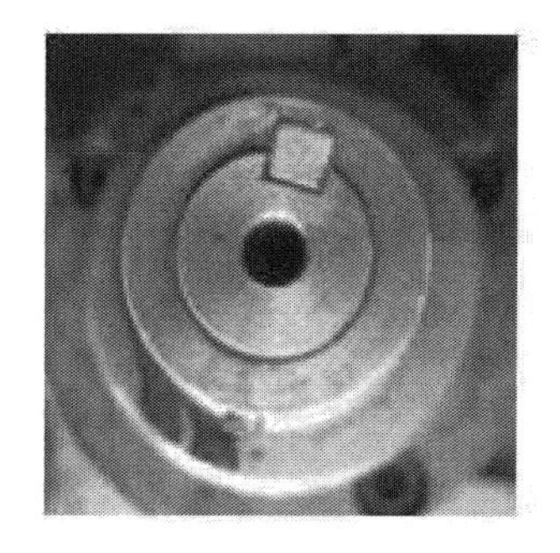 

5) 다음 그림에서 보여주는 기계요소는 무엇인가?

6) 다음 그림에서 보여주는 기계요소는 무엇인가?

7) 다음 그림에서 보여주는 장치는 무엇인가?

8) 다음 그림에서 보여주는 기계요소는 무엇인가?

9) 다음 그림에서 보여주는 기계요소는 무엇인가?

10) 다음 그림에서 보여주는 장치는 무엇인가?

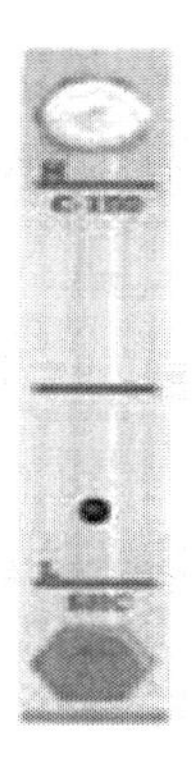

11) 다음 그림에서 보여주는 센서의 부착상 진동을 측정하는 측정 방향은 어디인가?

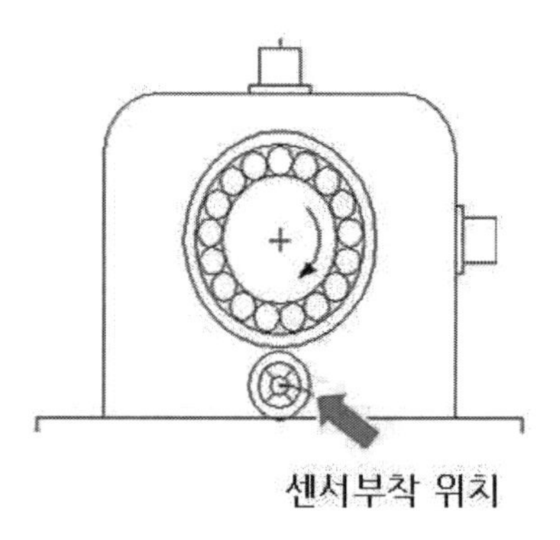

12) 다음 그림에서 보여주는 기계요소는 무엇인가?

13) 다음 그림에서 보여주는 기계요소는 무엇인가?

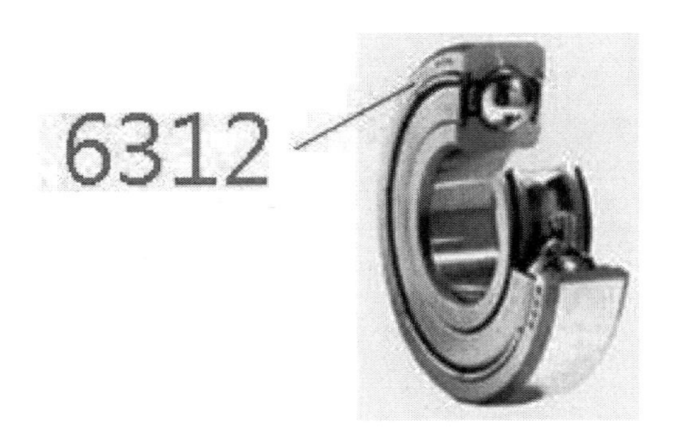

14) 다음 그림에서 보여주는 기계요소는 무엇인가?

15) 다음 그림에서 보여주는 기계요소는 무엇인가?

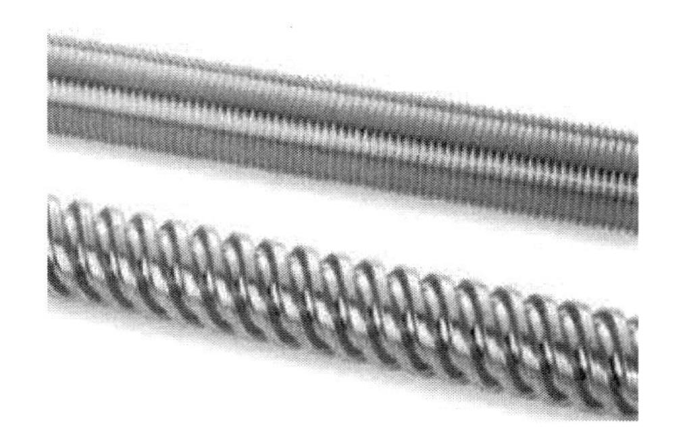

16) 다음 그림에서 보여주는 기계요소는 무엇인가?

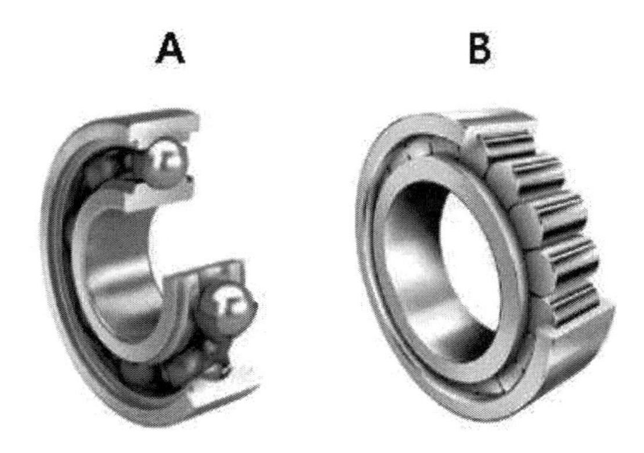

17) 다음 그림에서 보여주는 기계요소는 무엇인가?

18) 다음 그림에서 보여주는 소음 측정기의 소음 변동이 클 경우 사용하는 검파기 위치를 기록하시오.

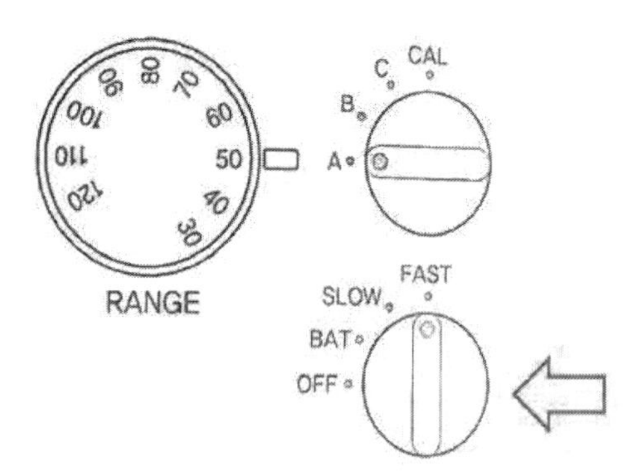

19) 다음 그림에서 보여주는 측정기는 무엇인가?

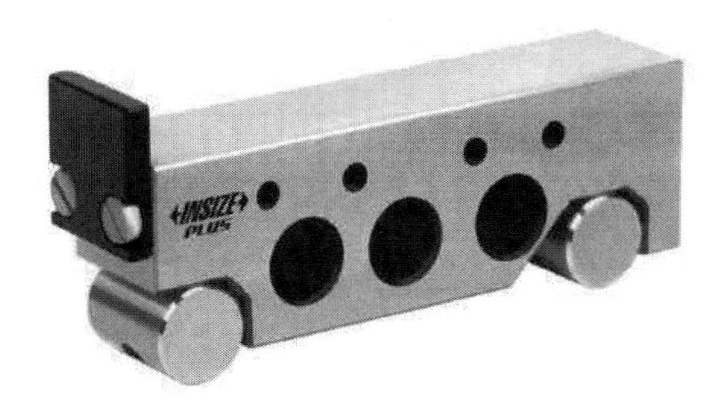

연습문제 3 모범답안

1) 슬리브 7 + 심블 0.37 = 7.37mm

2) 틈새 게이지

3) V벨트 풀리

4) 묻힘 키

5) 헬리컬 기어

6) 치형 벨트 (타이밍 벨트)

7) 볼베어링 유닛 (사각 플랜지 타입)

8) 분배 밸브

9) 기어 커플링

10) 유면계

11) 축 방향

12) 테이크 업 유닛

13) 60mm

14) 랙, 피니언 기어

15) 리드 스크루

16) 볼 베어링, 원통 롤러 베어링

17) 기어 풀러

18) FAST

19) 사안바

연습문제 4 (설비 공구, 측정기)

1) 다음 그림에서 보여주는 기계요소는 무엇인가?

2) 다음 그림에서 보여주는 장치는 무엇인가?

3) 다음 그림에서 보여주는 기계요소의 인장강도는 얼마인가?

4) 다음 그림에서 보여주는 기계요소는 무엇인가?

5) 다음 그림에서 보여주는 센서의 부착상 진동을 측정하는 측정 방향은 어디인가?

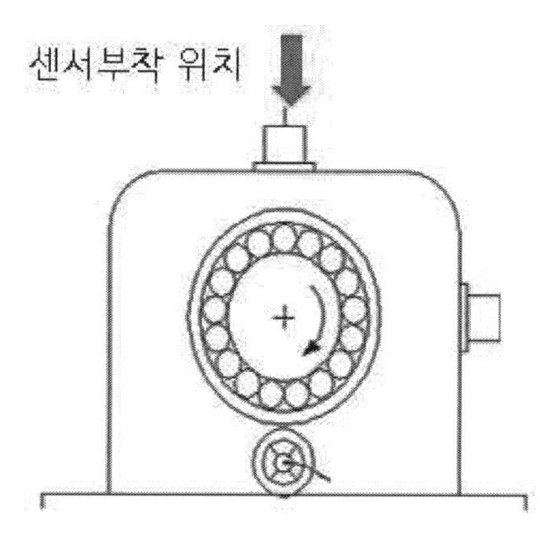

6) 다음 그림에서 보여주는 기계요소는 무엇인가?

7) 다음 그림에서 보여주는 기계요소는 무엇인가?

8) 다음 그림에서 보여주는 기계요소는 무엇인가?

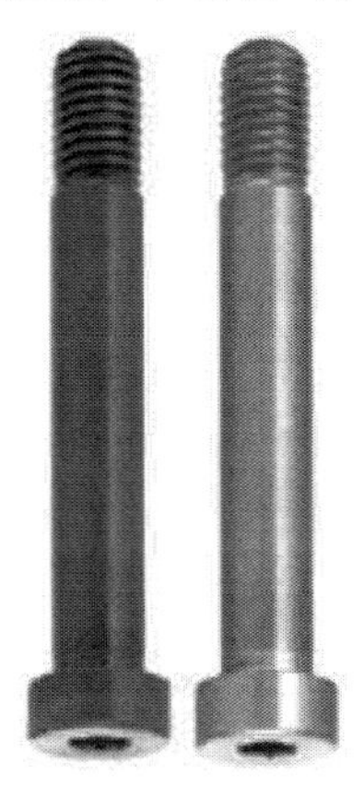

9) 다음 그림에서 보여주는 기계요소는 무엇인가?

10) 벨트의 크기별 표기 방법을 적으시오.

11) 연삭기좌,우측 감긴 방향이 다른 이유는?

12) 다음 그림에서 보여주는 공구는 무엇인가?

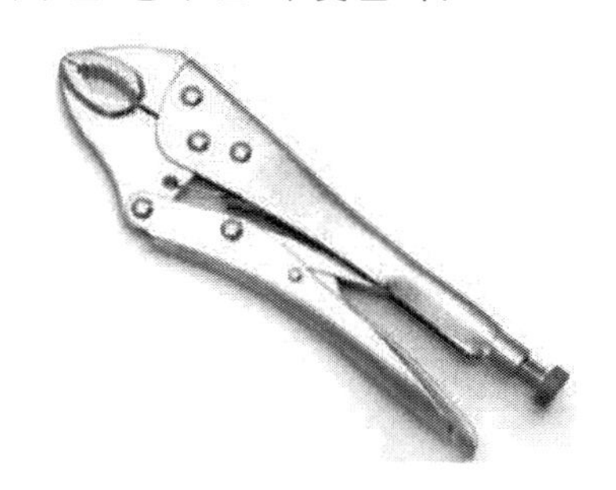

13) 다음 그림에서 보여주는 공구는 무엇인가?

14) 다음 그림에서 보여주는 공구는 무엇인가?

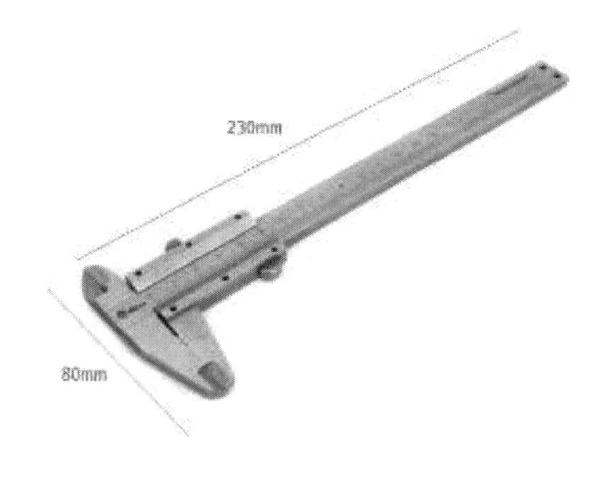

15) 다음 그림에서 보여주는 공구는 무엇인가?

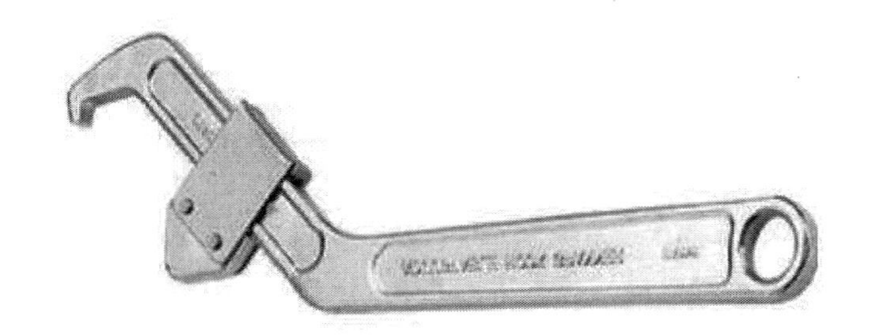

16) 다음 그림에서 보여주는 공구는 무엇인가?

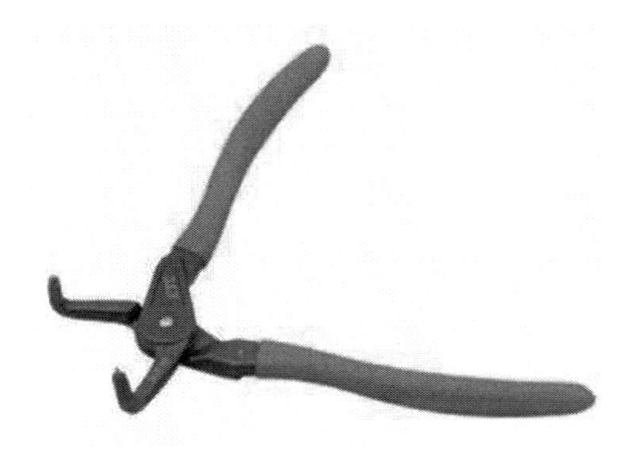

17) 다음 그림에서 보여주는 기계요소는 무엇인가?

18) 다음 그림에서 보여주는 기계요소는 무엇인가?

19) 다음 그림에서 보여주는 기계요소는 무엇인가?

20) 다음 그림에서 보여주는 장치는 무엇인가?

연습문제 4 모범답안

1) 체인 커플링

2) 그리스 컵, 베어링 유닛

3) 40 kgf/mm^2

4) 아이 볼트

5) 수직 방향

6) 스파이럴 베벨 기어

7) 육각 렌치 볼트

8) 리머 볼트

9) 홈붙이 육각 너트

10) M, A, B, C, D, E

11) 풀림 방지

12) 바이스 플라이어 (공작물을 물려서 작업할 때 사용)

13) 콤비네이션 렌치

14) 버니어 캘리퍼스

15) 훅 스패너

16) 스냅링 플라이어

17) 조 커플링

18) 사각 와셔

19) 웜과 웜기어

20) 드레인 밸브

연습문제 5

1) 다음 그림에서 보여주는 기계요소는 무엇인가?

2) 다음 그림에서 보여주는 기계요소는 무엇인가?

3) 다음 그림에서 보여주는 기계요소는 무엇인가?

4) 베어링 열박음시 주의할 점 3가지를 쓰시오

5) 유압장치 배관계통에작동유를넣어 세척하는 작업을 무엇이라 하는가?

6) 체인 조립시 마지막 부품(화살표)의 명칭은?

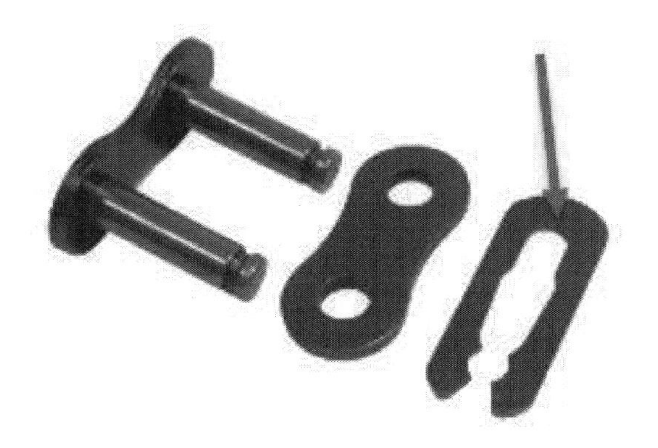

7) 다음 그림에서 보여주는 측정기의 명칭은 무엇인가?

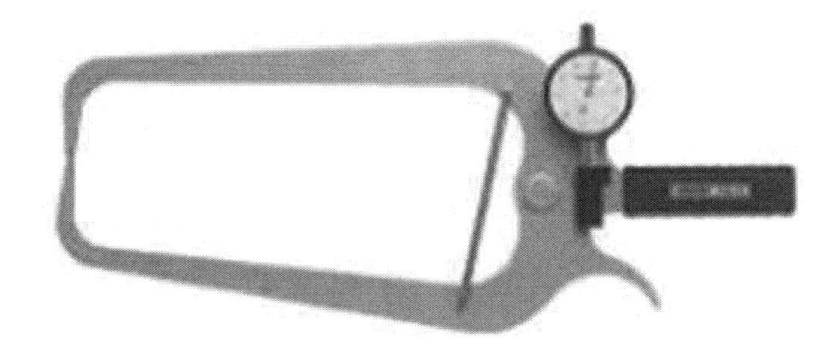

8) 다음 그림에서 보여주는 장치는 무엇인가?

9) 다음 그림에서 보여주는 기계요소는 무엇인가?

10) 다음 그림에서 보여주는 기계요소는 무엇인가?

11) 다음 그림에서 보여주는 측정기의 명칭은 무엇인가?

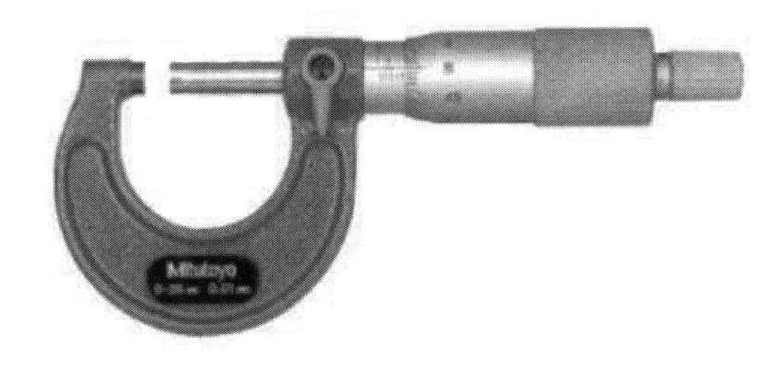

12) 다음 그림에서 보여주는 기계요소는 무엇인가?

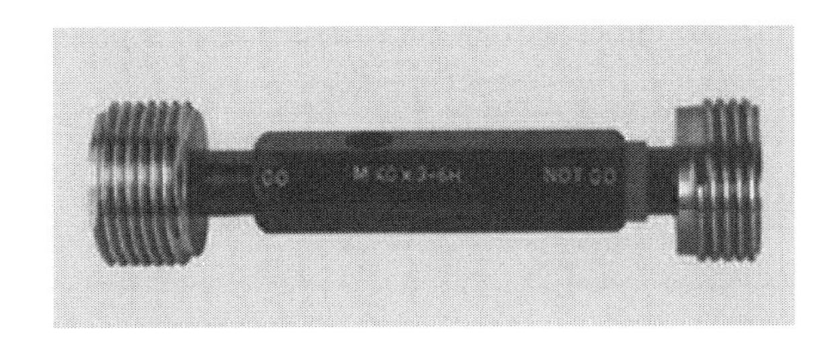

13) 다음 그림에서 보여주는 측정기의 명칭은 무엇인가?

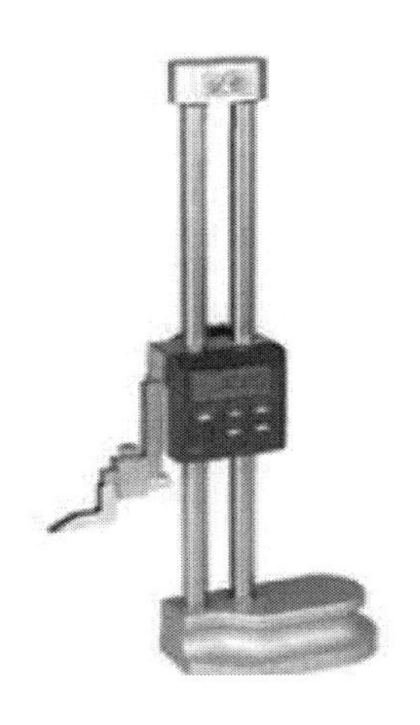

14) 다음 그림에서 보여주는 공구는 무엇인가?

15) 다음 그림에서 보여주는 공구는 무엇인가?

16) 다음 그림에서 보여주는 공구는 무엇인가?

17) 다음 그림에서 보여주는 기계요소는 무엇인가?

18) 다음 그림에서 보여주는 공구는 무엇인가?

19) 다음 그림에서 보여주는 기계요소는 무엇인가?

20) 다음 그림에서 보여주는 기계요소는 무엇인가?

연습문제 5 모범답안

1) 그리드 커플링

2) 이붙이 와셔 (로크 와셔)

3) 로크 너트

4) 축 방향 수축 주의, 120도 이상을 가열 금지 (강도 저하), 냉각을 고려 약간 높게 (20~30도) 가열

5) 플러싱 작업

6) 핀 링크 플레이트

7) 다이얼 외경 캘리퍼스

8) 베어링 유닛

9) 파이프 렌치

10) 지시 소음계

11) 외경 마이크로 미터

12) 나사 플러그 게이지

13) 하이트 게이지

14) 스크루 엑스트랙터

15) 롱 로즈 플라이어

16) 실린더 게이지

17) 룰러 체인, 스프라켓

18) 유성기어

19) 분할핀

20) U볼트

제 5 장 자동화 설비

5.1 자동제어와 설비

알고리즘에 의해 작업자가 없이 원하는 상태로 제어하는 것을 자동제어라 하며, 전기 전자장치를 이용한 제어기에 의해 자동으로 수행한느 기계시스템을 자동제어, 및 기계를 포함하여 자동화 설비라 할 수 있다.

5.2 자동화 설비의 주요 기술

1) 시퀀스 제어 기술
2) PLC 제어 기술
3) PC 제어 기술
4) 전기 전자 활용 기술 (ex. 모터 제어, 센서 활용 기술)
5) 도면 작성 및 해독, 설계 기술

5.3 PLC 제어

1) 시퀀스 제어 기술
2) PLC 제어 기술
3) PC 제어 기술
4) 전기 전자 활용 기술 (ex. 모터 제어, 센서 활용 기술)
5) 도면 작성 및 해독, 설계 기술

연습문제 1 (PLC제어)

1. PLC의 의미는 무엇인지 서술하시오.

( )

2. 문자식 언어를 적으시오

①__________ ②__________

3. 릴레이와 PLC의 특징비교로 올바르지 않은 것은?

릴레이 제어와 PLC 제어의 비교

구 분	릴레이 제어반	PLC
① 가격	매우 저가	저가
② 크기	대형	매우 소형
③ 처리속도	느림	빠름
④ 노이즈	우수	우수

4. PLC의 적용분야로 맞지 않은 것은?

① 쓰레기 소각로 ② 공해 방지기 ③ 하역 설비 ④ 라인 제어

5. 이그림은 PLC 하드웨어 구조이다 빈칸에 들어갈 것은? ( )

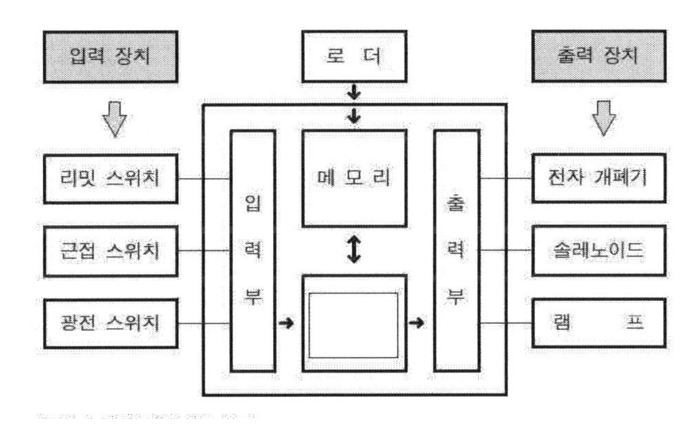

6. 입력부와 출력부를 구분하였다 옳지 않은 것을 고르시오

① 조작 – 입력부 ② 검출 - 출력부

③ 표시 경보 - 출력부 ④ 구동 -입력부

7. 출력부의 작동원리는 내부 연산의 결과를 외부에 접속된 전자 접촉기나 솔레노이드에 전달하여 구동시키는 부분이다, 출력의 종류에는 릴레이 출력, 트랜지스터 출력, 트라이액 출력 등이 있다. (O/X)

8. 시퀀스를 이해하고 작성하기 위해 3가지 사항을 알아야 한다 3가지 사항을 고르시오

① 유접접과 무접점 사용되어지는 것을 알아야 한다
② 제어해야 할 대상의 특성을 이해하여야 한다
③ 제어 장치에 대한 지식이 있어야 한다
④ 시퀀스를 작성하기 위한 약속을 알고 있어야 한다

9. 빈칸에 알맞은 말을 써넣으시오.

(　　　　　)란 종래에 사용하던 제어반에 사용하는 릴레이, 타이머, 카운터 등의 기능을 IC, 트렌지스터 등의 반도체 소자로 대체시켜 소형화하고, 기본적인 시퀀스 제어 기능에 수치 연산기능을 추가하여 프로그램제어가 가능하도록 한 프로그램 방식의 산업용 컴퓨터

10. PLC의 특징을 서술하시오.

(　　　　　　　　　　　　　　　　　　　　　　　　)

11. 다음의 설명에 해당하는 것을 쓰시오.

(보기) PLC를 직접 제어하는 부분으로 메모리에 저장되어 있는 프로그램을 해독하여 처리내용에 따라 데이터의 교환이나 연산, 비교, 판정 등을 수행한다.

(　　　　　　　　　　　　)

12. PLC에서는 항상 제어 신호가 왼쪽에서 오른쪽으로 전달되도록 구성되어 있다. (O , X)

13. PLC 구성에 필요한 전원부, CPU부, 입 출력부 등이 하나의 케이스에 들어 있는 구조를 무엇이라 하나? (　　　　　　　)

14. 출력 코일은 오른쪽 모선에 붙여서 작성해야 하며, 왼쪽 모선에 직접 연결할 수 없으므로 사용하지 않는 출력 코일의 B 접점을 왼쪽 모선에 삽입하여 프로그램을 작성한다. (O , X)

15. PLC 소프트웨어의 구조에 대해 알맞은 것은?
① 직렬처리와 병렬처리 ② 주 접점의 사용
③ 출력코일의 필요성 ④ 입력 신호의 흐름

16. 보조접점의 사용에서 릴레이 시퀀스 회로에서 많이 사용되는 릴레이, 타이머 등이 가지고 있는 보조 접점은 제어기기 한 개당 몇 개인가 ?
① 1C, 2C ② 2C, 4C ③ 3C, 5C ④ 1C, 6C

17. PLC가 나오게된 계기가 아닌 것은?
①. 시퀀스를 작성하고 결선을 한 다음 실제로 장치를 작동시켜 보아야만 제대로 된 시스템인지 알 수 있어 현장에서의 변경이 빈번하다.
②. 제작 공정상 완벽한 시퀀스의 설계, 결선도 작성, 각종 부품 구매, 검사, 시험, 현지 시운전 등 여러 단계를 거치며 장시간이 요구된다.
③.설비는 고급화, 거대화 추세이므로 제어에 사용되는 릴레이 수량도 많아지고 릴레이 접촉 신뢰성의 한계로 인하여 빈번한 고장이 발생하였다.
④. 공장이 많이 건설되므로써 기계제어나 여러 가지 타이머, 릴레이를 제어하는 데 시간이 오래걸려 동시 다발적으로 기계 제품들을 제어하기 위해서 만들어 졌다.

18. PLC의 적용분야로 올바른 것 끼리 연결하시오.

상하수도 ●	● 정수장 제어, 하수처리 제어
물류 산업 ●	● 하역 설비 제어
공해 방지산업 ●	● 쓰레기 소각로 자동 제어

19. 일체형은 PLC구성에 필요한 전원부, __부, _,_부 등이 하나의 케이스에 들어있는 구조이다. 빈칸을 서술하시오.
_____부, _____부

20. 릴레이 제어반의 가격은 PLC보다 비싸다 (O/X)

21. 이 사진의 PLC 형태를 적으시오. ______

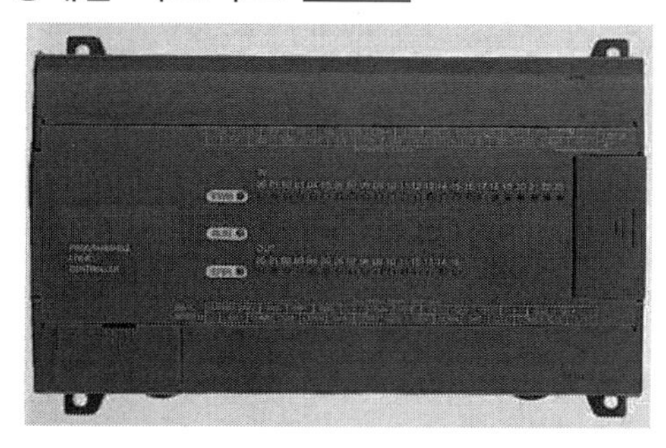

22. PLC는 메모리에 있는 프로그램을 순차적으로 연산한는 ㉠ 방식이다. 릴레이 시퀀스는 여러 회로가 전기적인 신호에 의해 동시에 작동하는 ㉡ 방식이다. 각 ㉠과㉡에 들어갈 알맞은 말을 고르시오.

①. ㉠: 직류 ㉡: 교류 ②. ㉠: 순차적 ㉡: 다발적 ③. ㉠: 연속적 ㉡: 병렬 ④. ㉠: 직렬 ㉡: 병렬

23. 다음 처리방식은 무슨 처리 방식인가?

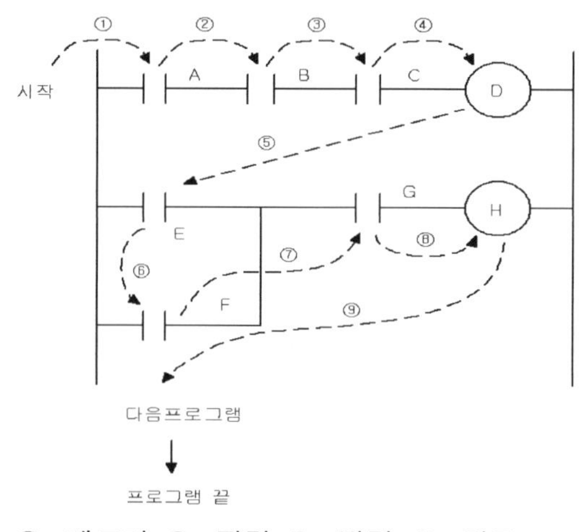

①. 메모리 ②. 직렬 ③. 병렬 ④. 직류

24. PLC는 보조 접점을 사용할 수있다. 이때, 아래의 사진을 보고 PLC가 사용하는 보조 접점에 대한 특징을 서술 하시오.

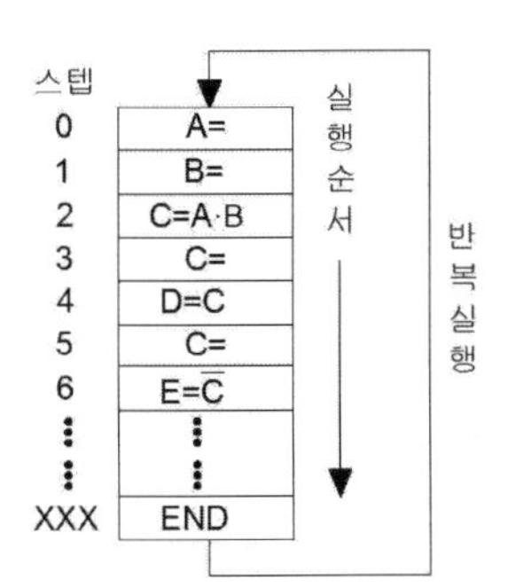

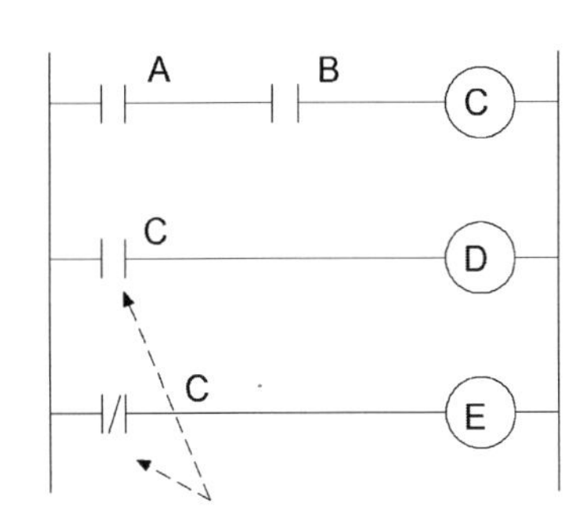

25. GM사가 조립라인에 제어장치를 설치하기 위한 10가지 조건으로 알맞지 **않은 것**을 고르시오. (   )

① 입력은 AC115[V]일 것

② 출력은 AC115[V], 2[A] 이상일 것

③ 유지 보수가 용이할 것

④ 출력 데이터는 중앙 제어장치에 연결되어 있을 것

26. 릴레이 제어와 PLC 제어의 비교에서 릴레이 제어반은 노이즈가 우수하다.
(O, X)

27. PLC 적용 분야의 물류 산업 중 옳지 **않은 것**을 고르시오. (   )

① 자동 창고 제어　　② 하역 설비 제어

③ 반송 라인 제어　　④ 조립 라인 제어

28. PLC의 분류 일체형 중 PLC 구성으로 **옳은 것**을 고르시오.

① 전원부　　② 입력부　　③ 출력부　　④ CPU부

29. PLC 제어의 안전 및 유의 사항 2가지를 서술하시오.

(1)

(2)

30. PLC 선정하기 중 특수 모듈의 지원이 필요한지 확인해야 한다. (O, X)

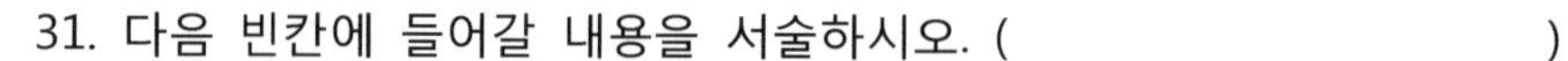

31. 다음 빈칸에 들어갈 내용을 서술하시오. ( )

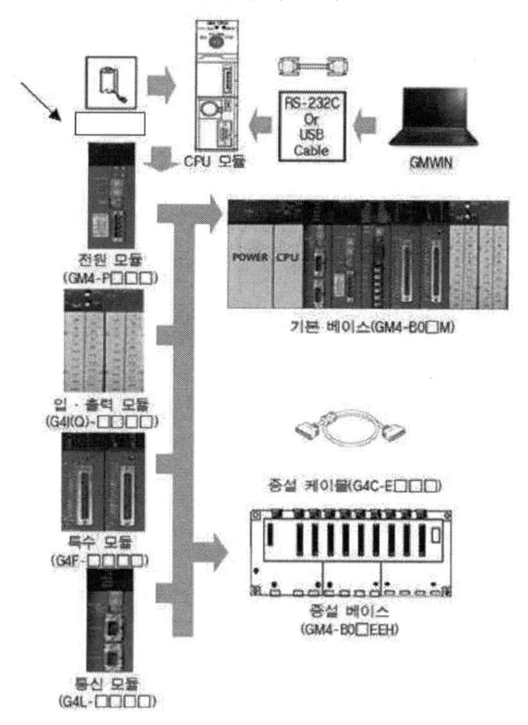

32. CPU의 역할로 알맞지 않을 것을 고르시오. ( )

① 데이터의 교환 ② 연산 ③ 비교 ④ 수정

33. 여러 원인에 의해 1969년 미국의 자동차 회사인 GM사에서 자동차 조립 라인에 제어 장치를 설치하기 위하여 이른바 "프로그램머블 컨트롤러(PC; programmable controller)에 대한 10가지 조건 을 제안하게 되었는데 이 제안으로 옳은 것은?

① 프로그램의 작성이나 변경이 용이할 것

② 유지 보수가 용이할 것

③ 계전기 제어반보다 신뢰성이 높을 것

④ 계전기 제어반보다 대형일 것

34. 릴레이 제어반과 PLC 제어를 비교한 표를 보고 빈칸에 들어갈 알맞은 말은?

구 분	릴레이 제어반	PLC
가격	매우 저가	저가
크기	대형	매우 소형
처리속도	느림	빠름
노이즈	우수	양호
제어		
복합 기능	없다.	있다.
기능의 변화	매우 어렵다	아주 쉽다
유지 보수	매우 어렵다	아주 쉽다

35. 섬유, 화학 공업에서의 PLC 제어대상은 원조 수입 출하 제어, 컨베이어 제어, 직조 염색 라인 제어가 있다. (O/X)

36. 공장설비에서의 PLC 제어대상은 컨베이어 총괄 제어, 생산 라인 자동제어가 있다. (O/X).

37. PLC를 선정할 때 해야 할 일로 알맞은 것은?
① 입력 점수를 파악한다.
② 출력 점수를 파악한다.
③ 특수 모듈의 지원이 필요한지 확인한다.
④ 사용자의 수준을 확인하지 않는다.

38. PLC 종류에는 일체형 PLC와 모듈형 PLC 가 있다. (O/X)

39. PLC 하드웨어의 구조로 빈칸에 들어갈 알맞은 말은?

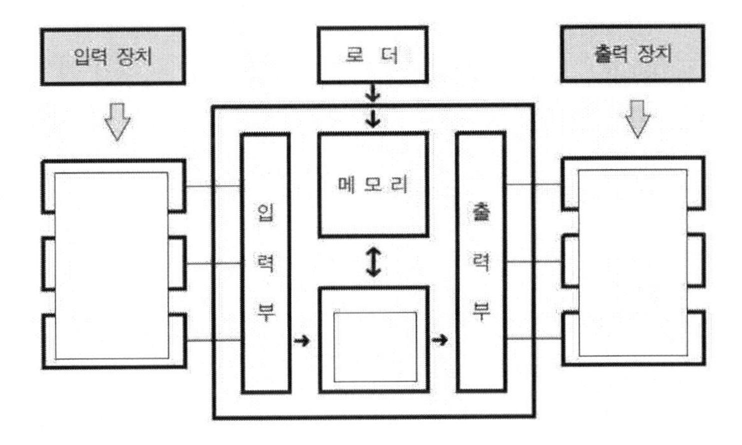

40. PLC 외부기기의 입력부의 구분으로 알맞은 것을 모두 고르시오.
①조작 ②검출(센서) ③표시 경보 ④구동

41. 다음중 PLC의 출현 배경인 문제점에 대해 옳은 것을 **모두** 고르시오.
ㄱ. 시퀀스를 작성하고 결선을 한 다음 실제로 장치를 작동시켜 보아도 제대로 된 시스템인지 알 수 없어 현장에서의 변경이 빈번하다.
ㄴ. 제작 공정상 완벽한 시퀀스의 설계, 결선도 작성, 각종 부품 구매, 검사, 시험, 현지 시운전 등 여러단계를 거치며 장시간이 요구된다.
ㄷ. 설비는 고급화, 소형화 추세이므로 제어에 사용되는 릴레이 수량도 많아지고 릴레이 접촉 신뢰성의 한계로 인하여 빈번한 고장이 발생하였다.

① ㄱ,ㄴ,ㄷ ② ㄱ,ㄷ ③ ㄷ ④ ㄴ

42. 다음중 IEC 표준 언어중 '도형식(graphic) 언어'로 적합한 것을 **모두** 고르시오.
① LD(Ladder Diagram)
② SFC(Sequential Function Chart)
③ ST(Structured Text)
④ FBD(Function Block Diagram)

43. 다음중 빈칸에 들어갈 말로 **알맞게** 짝지어진 것을 고르시오.

릴레이 제어와 PLC 제어의 비교

구 분	릴레이 제어반	PLC
가격	(㉠)	(㉡)
크기	대형	매우 소형
처리속도	느림	빠름
노이즈	우수	양호
복합 기능	(㉢)	(㉣)
기능의 변화	매우 어렵다	아주 쉽다
유지 보수	매우 어렵다	아주 쉽다

① ㉠ - 고가. ② ㉡ - 고가.
③ ㉢ - 매우 많다. ④ ㉣ - 있다.

44. 다음중 'PLC의 분류'를 **알맞게** 설명하는 말은?

① 일체형이 모듈형보다 많이 이용된다.

② 모듈형은 사용할 수 있는 입/출력 기기나 기능이 제한되어 있다.

③ 모듈형은 전원 모듈, 입/출력 모듈 등을 제작사가 그 용도에 적합하도록 선택하여 구성한 구조이다.

④ 일체형은 전원부, CPU부, 입/출력부 등이 하나의 케이스에 들어 있는 구조이다.

45. 다음은 'PLC 하드웨어 구조'를 나타내는 그림이다. 그림을 보고 빈칸에 들어갈 말을 서술하시오.

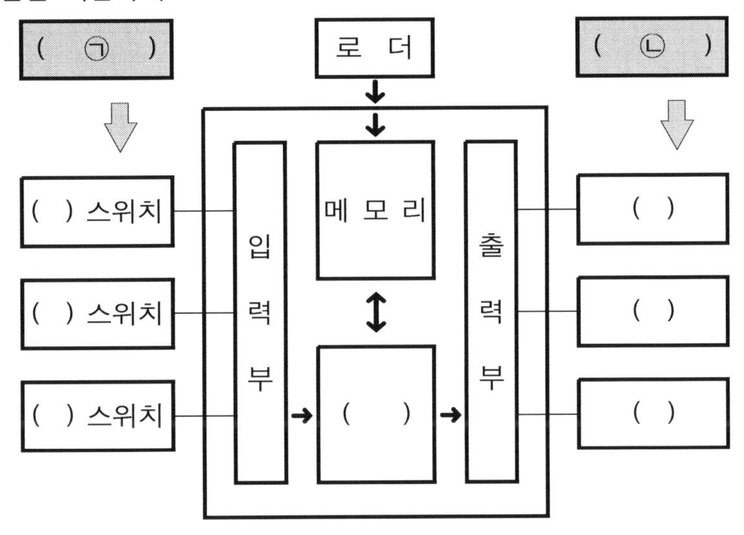

46. 다음중 PLC의 외부기기로 구분되는 알맞지 **않은 것**을 고르시오.

㉠ 푸시버튼 스위치 ㉡ 전자밸브 ㉢ 전자 브레이크

㉣ 파일럿 램프 ㉤ CPU ㉥ 전자계폐기

47. 릴레이 출력은 직류나 교류를 모두 사용할 수 있다.

(O / X)

48. 다음 중 PLC 내부에서 사용하는 전원 전압은??

① DC+5 ② AC+5 ③ DC+25 ④ AC+25

49. 마이크로프로세서와 메모리를 중심으로 인간이 두뇌 역할을 하는 중앙 처리 장치는?

50. 출력 신호 종류 중 AC는 무엇인가?

51. 릴레이, 타이머, 카운터 등의 기능을 IC, 트랜지스터 등의 반도체 소자로 대체시켜 소형화하고, 기본적인 시퀀스 제어 기능에 수치 연산 기능을 추가하여 프로그램 제어가 가능하도록 한 프로그램 방식의 산업용 컴퓨터를 무엇이라 하는가?

52. PLC에 쓰이는 표준 언어가 아닌 것은?
① 도형식 언어 ② SFC ③ 문자식 언어 ④ KFC

53. PLC는 비용이 적고 제어가 간단하지만, 유지 보수는 어려운 단점이 있다. (O, X)

54. PLC 구성에 필요한 전원부, CPU 부, 입 출력부 등이 하나의 케이스에 들어 있는 구조를 무엇이라 하는가?
① 모듈형 ② 일체형 ③ 기본형 ④ 사형

55. PLC의 하드웨어 구조 중 CPU에 관해 설명하시오.

56. PLC의 적용분야와 제어대상의 짝이 옳지 않은 것을 고르시오
① 식료산업 - 생산 라인 자동제어
② 제철, 제강 산업 - 작업장 하역 제어
③ 상하수도 - 정수장 제어
④ 섬유, 화학 공업-원료 수송 제어

57. PLC의 적용 분야에 대해 올바르게 짝지어진 것은?
① 식료 산업 – 컨베이어 총괄 제어, 생산 라인 자동제어
② 자동차 공업 – 산업용 제어, 공작 기계 제어
③ 물류 산업 – 작업장 하역 제어, 원료 수송 제어, 압연 라인 제어, 하역 운반 제어
④ 상하수도 – 원조 수입 출하 제어, 컨베이어 제어, 직조 염색 라인 제어

58. PLC를 직접 제어하는 부분으로 메모리에 저장되어 있는 프로그램을 해독하여 처리 내용에 따라 데이터의 교환이나 연산, 비교, 판정 등을 수행하는 것은?

59. PLC 소프트웨어 구조의 종류로 올바른 것을 모두 고르시오.

① 보조 접점의 사용 ② 출력 코일의 위치
③ 제어 신호의 흐름 ④ 직렬 처리와 병렬 처리

60. 하드웨어 입·출력구조 파악하기 단계에서 요구되는 사항으로 옳지 않은 것은?

① 외부 기기와 전기적 규격이 일치해야 한다.
② 외부 기기로부터의 노이즈가 CPU쪽에 전달되지 않도록 해야 한다.
③ 외부 기기와 접속이 되어서는 안된다.
④ 입·출력의 각 접점 상태를 감시할 수 있어야 한다.

61. 1969년 미국의 자동차 회사인 GM사에서 자동차 조립 라인에 제어 장치를 설치하기 위하여 "프로그램머블 컨트롤러(PC; programmable controller)에 대한 10가지 조건"을 제한하였다. 10가지 조건 중에 2가지를 서술하시오.

62. PLC는 크게 2가지로 분류되는데 2가지를 적으시오.

① ②

63. 메모리란 프로그램을 기억하는 곳으로 입력이나 수정을 쉽게 할 수 있도록 롬(ROM)을 사용하는 것이 보통이며, 프로그램이 완성된 후에는 램(RAM)에 프로그램을 저장하여 사용하기도 한다. (O , X)

64. '이것'은 종래에 사용하던 제어반에 사용하는 릴레이, 타이머, 카운터 등의 기능을 IC, 트랜지스터 등의 반도체 소자로 대체시켜 소형화하고, 기본적인 시퀀스 제어 기능에 수치 연산기능을 추가하여 프로그램 제어가 가능하도록 한 프로그램 방식의 산업용 컴퓨터이다. '이것'은 무엇인가?

65. PLC의 언어 2가지를 적으시오.

5.4 PC기반 제어

PC 기반 제어 시스템은 1996년 OMAC (Open Modular Architecture Controller)위원회를 결성한 계기로, 미국의 SCADA 회사를 중심이 되어 PC 기반 제어 소프트웨어 및 관련 주변기기들이 소개되게 시작했다.

PC 기반 제어의 개방화와 모듈화는 하드웨어 부품보다는 대부분 소프트웨어 모듈로 나타나고 있다.

5.4.1 PC 기반 제어 시스템의 구성

PC기반 제어 시스템은 하드웨어, 운영체계와 명령어, 작동상태 및 데이터 등과 같은 송수신 정보를 통해 다른 구성요소들과 상호간에 처리되는 시스템 계층을 기반으로 구성된다.

- 정보기반 처리는 실시간 데이터베이스 모듈을 기반으로 이를 저장, 공유 및 운영에 필요한 공정 및 기계에 필요한 정보를 처리한다.

또한 정보기반 처리 모듈은 상위 제조정보 시스템에 정보를 제공한다.

- 휴먼 인터페이스는 사용자가 제어기기외의 상호작동 처리를 제공하며 입력 시스템의 파라미터를 사용하여 프로그램 기계와 공정을 운영하고 제어할 수 있다.

- 제어기기는 상품화되어 있는 하드웨어와 소프트웨어로 산업용 표준규격에 따라 성능과 응용 요구사항에 대한 특정 처리시간을 만족시켜준다.

제어기기 하드웨어 버스 구조는 VME나 PC에서 사용되고 있는 ISA, EISA 혹은 PCI로 대부분이다.

5.4.2 장치산업에서의 PC 기반 제어 시스템

장치산업의 PC 기반 제어 시스템은 PLC 등을 활용하고 있는 제조업 현장의 시스템과는 정보 시스템의 구성에서 근본적인 차이점이 있다.

장치산업의 PC 기반 제어 시스템은 몇가지 특별히 요구되는 기능이 있기 때문이다.

- 장치 산업의 PC 기반 제어 시스템은 개방형 아키텍처 형식을 가져야 한다. 하드 리얼 타임 운영체계로 1ms 이내에 정보를 최신화할 수 있도록 하고

있으며, PC에서 제어 연산과 결정성 제어(Deterministic Control)가 가능하다.

또한 대규모의 확장성이 보장되어야 하며, Advanced Control 처리능력을 갖추고 PID와 Feed-Forward, Adaptive, 그리고 Cascade, Override, Ramping 뿐만 아니라 Limits, Interlocks, Boolean과 Motor Control 등이 처리 되고 있다.

- PC 기반 제어 시스템의 이중화와 입출력 장치의 이중화 온라인 구성화와 공정 시뮬레이션 최적화를 지원해야 한다.
I/O 디바이스에서 고장이 발행하더라도 제어 부문에는 영향을 주어서는 안되며, 고장이 발생한 디바이스는 제어 'Shut Down' 없이 재 초기화가 가능해야 하는데, 이는 네트워크 시스템 고장시에도 마찬가지다.

- IsaGraph 1131-3과 OPC, Visual Basic 등 Graphical User Programming을 지원하고, 시스템에 대한 정확한 정보수집으로 인해 제품의 품질관리가 용이 해야 하며, 시스템을 운영할 수 있는 기술을 습득할 수 있는 훈련 모드를 지원한다.

5.4.3 PC 기반 제어 시스템의 특징

PC 기반 제어 시스템의 가장 큰 특징은 개방형 구조 시스템(Open Architecture Control System)이라는 점과 강력한 네트워킹 기능, 쉬운 흐름도(Flowchart)언어, 친숙한 MS 윈도우즈 환경 등을 들 수 있다.
FieldBus를 적절히 활용한다면 많은 케이블 수를 줄일 수 있고, 생산 라인의 설치비와 유지비를 절감할 수 있게 된다.

- 개방형 구조로 시스템을 통합하게 되면, 전형적인 PLC 시스템에서의 Cell 제어용 PC와 프로그래밍 PC, 위치결정 시스템 등을 하나의 솔루션으로 통합할 수 있다.
하나의 PC에 이를 수용시킴으로써 프로그램의 단일화가 가능하고 공통의 데이터베이스를 관리할 수 있다. 이외에도 MMI(Man Machine Interface)를 자체 내장하고 있어 별도의 중복적인 프로그램이 필요 없다.
PC 기반 제어 시스템의 강력한 네트워킹 기능은 원격 프로그래밍이 가능하게 할 뿐만 아니라 다른 공정의 제어 시스템까지 통합관리가 가능해진다.

- 공정 제어 프로그램은 관리자 및 운용자가 직접 구동하고 관리할 수 있다는 점에서 문제가 발생하더라도 즉각적인 해결이 가능해 많은 경제적인 효과를 얻을 수 있다.

예를 들어 기존에는 PLC 시스템 하나의 I/O 접점 고장요인을 찾기 위해 많은 시간과 노력이 필요했지만, FieldBus 방식을 사용함으로써 이러한 수고를 덜 수 있다.

생산 라인의 유지·보수를 제3의 업체에게 맡기지 않아도 되기 때문에 유지·보수 비용도 크게 낮출 수 있어 기존 장치 제어에 비하면 수많은 이점을 가지고 있는 것만은 확실하다.

5.4.4 PC 기반 제어 시스템과 PLC 시스템의 비교

구조적으로 두 시스템 간의 차이점이라고 하면, PLC 시스템 구성에 비해 PC 기반 시스템쪽이 제어 구성이 보다 간편하고 유지·보수가 더욱 수월하다는 점을 들 수 있다.

PLC 시스템은 Logic 제어, 모션, HMI, SCADA, 프로그래밍, 디버깅을 위한 별도의 모듈을 가지고 있는데, 이 구성은 현재 많은 산업현장에서 사용되고 있다.

그러나 중앙집중식 I/O를 사용하면, 아주 작은 시스템을 구성하더라도 복잡하고 고가의 배선공사 비용을 지불해야 하는 문제를 안고 있다.

이에 반해 PC 기반 시스템은 네트워크 I/O를 통해 설치와 유지·보수에 필요한 노동력을 감소시키며, 배선공사가 간단해 좀 더 진보된 구조를 가지고 있다.

PC 기반 제어의 단일화된 구성은 예전의 접근방식 보다 많은 장점을 가지고 있다. 보통 소유권이 없는 하드웨어는 그 본래의 개방형 시스템 특징을 가지고 있어 이를 사용해 비용 절감과 생산성 향상을 꾀할 수 있다.

사용자는 부품이나 서비스를 제공 받기 위해 하나의 제조업체에 매달릴 이유가 없어지며, 개방형 시스템은 제조업체간의 경쟁을 유발시켜 보다 낮은 가격과 높은 성능의 제품을 선보인다.

다른 소프트웨어 컴포넌트들과 IT 시스템은 제조업자 또는 OEM 컴포넌트를 통합하여 최적화된 솔루션을 개발하도록 이끌 수 있다.

단순화된 시스템은 배선공사시 발생하는 문제에 대한 해결은 물론, 유지·보수 비용이 감소하는 효과를 불러온다.

예로서 물류 및 음식 패키지 산업의 사업장에서는 배선공사 비용을 60% 절감했으며 작은 컴포넌트들은 오류의 수를 더 적게 하고, 제조업체로 하여금 생산성과 설비 가동률을 증가시키는 결과를 가져왔다.

5.4.5 PC 기반 제어를 적용하기 위한 조건

PC 기반 제어 시스템의 효과를 최대한 활용할 수 있는 방안은 최대한 효과적으로 구성하는 것이다.

- 도입하고자 하는 시스템의 요구와 적용을 철저히 분석해야 한다
- 운용에 따른 복합성을 평가해야 한다.

PLC에 비해 PC 기반 제어 시스템이 보다 많은 장점과 복합성을 가지고 있기 때문이다.

- I/O 시스템의 유형과 수를 파악해야 한다.

실제 I/O가 적어도 40포인트라면, 분석된 I/O 구조를 갖는 PC 기반 제어를 통해 즉시 확실한 결과를 얻을 수 있다.

바코드 판독기나 Radio Frequency ID 시스템, 비전 시스템과 같은 특별한 I/O 디바이스를 사용해야 한다면, PC 기반 제어 시스템은 PLC 기반 시스템에 비해 더욱 효율적인 솔루션이 된다.

제어 시스템의 복합성, HMI, 모션 제어, 바코드 디바이스, 비전 등을 포함해야 한다면 PLC 기반 제어 시스템은 이들을 위해 분리된 컴포넌트들을 필요로 하지만, PC 기반 제어 시스템은 일반적으로 하나의 시스템에서 이 모든 기능들을 수행할 수 있다.

- 제품 라인의 수를 고려해야 한다.

PC 기반 제어 시스템에서의 유연적이고 향상된 프로그래밍을 통해 제품 라인이 요구하는 내장된 유연성을 활용한다.

- 제품 변경이나 업그레이드 주기를 고려해야 한다.

PLC 기반 시스템에 비해 PC 기반 제어 시스템은 산업 현장의 재구성이나 업그레이드를 좀 더 쉽고 빠르게 구축할 수 있다.

- 통합 시스템을 요구한다면 통신에 대해서도 고려해야 한다.

MES나 다른 IT 시스템과의 통합이 요구되는데, PC 기반 제어기는 다른 IT 시스템으로서의 윈도우즈 환경과 유사 범위 내에서 요구되는 모든 정보를 제공한다.

PLC에서라면 이처럼 요구되는 통신들과 표준 이더넷 사용시 고가의 추가 카드와 설치에 따른 수고가 필요하다.

그러나 PC 기반 제어 시스템은 보드 상에서의 확장을 통해 극복할 수 있다. 데이터 인식이나 모니터링, 프로그램 백업과 복원을 위한 요구사항, 그리고 PC 기반 제어 시스템의에 내장된 많은 기능들을 통해 별도의 제품 구입이 불필요하며 이를 구현하기 위한 시간과 노력을 줄일 수 있다.

- PC 기반 제어를 현재 운용중인 산업 현장에 적용하고자 할 때는 경제적 부담을 최소로 하기 위해 단계적으로 적용해보는 것이 바람직하다.

PC 기반 제어는 하나의 영역으로 쉽게 통합될 수 있으며, 기존 시스템과 쉽게 통신할 수 있다. PLC를 PC 기반 제어 시스템으로 제어하는 것은 일반적으로 PLC로부터 I/O 네트워크를 분리하는 것에 비해 매우 간단하다.

연습문제 1 (PC기반제어)

1. 컨베이어벨트 공정의 종류로는 컨베이어벨트, AC 모터가 있다. (○, ×)

2. 검사 공정 중 부품이 컨베이어에 의해 이동되며 고주파 발진형 근접센서와 광화이버센서에 의해 부품의 유/무 검사와 금속/비금속 검사를 한다. (○, ×)

3. 제품 적재 공정의 종류로 틀린 것을 고르시오. (   )
① 제품 적재함   ② 복동 실린더   ③ DC 모터   ④ 리미트 스위치

4. 다음 역할에 알맞은 보드 종류를 고르시오. (   )
DC모터를 제어하기 위한 보드로 SLA7426M과 TR을 통해 스텝모터를 제어할 수 있다.
① 128보드   ② 7SEGMENT   ③ DC_MOTOR   ④ 8255

5. 제어보드의 종류로 틀린 것을 고르시오. (   )
① LED   ② PHOTO_1   ③ PHOTO_2   ④ MPS

6. 기능 시험 결과서에 들어갈 내용 중 틀린 것을 고르시오. ( )
① 검사자   ② 검사구분   ③ 시험자   ④ 의뢰일자

7. 다음은 안전, 유의 사항에 대한 질문이다.
결선이 완료된 후 도면에 따라 전원을 투입한다. (○, ×)

8. 공정제어 프로그램 모듈 동작 중 틀린 것을 고르시오. (   )
① 컨베이어 공정제어   ② 실린더 공정제어   ③ 흡착 공정제어
④ 스토퍼 공정제어

9. 부품의 금속 / 비금속 검사 센서는 정전 용량형 근접센서 이다. (O / X)

10. 다음 중 제어보드로 분류되는 것을 모두 고른 것은?

㉮ MPS ㉯ 직류(DC)모터 제어보드 ㉰ 8255PPI보드 ㉱ TR 컨트롤보드 ㉲ LED ㉳ 7-SEGMENT보드

① 가,나,다,라,마,바 ② 나,다,라,마,바 ③ 나,다,라,바 ④ 가,라,마,바

11. "엔코더 센서"는 적치대의 축과 연결되어있는 센서로 축이 45° 회전시마다 펄스를 생성한다. (O / X)

12. 다음 중 "공급 전진 센서"에 대해 맞는 것은?
① X축 실린더의 전진 상태시 스위치가 켜진다.
② Y축 실린더의 후진 상태시 스위치가 켜진다.
③ 공급 실린더의 전진 상태시 스위치가 켜진다.
④ 공급 실린더의 후진 상태시 스위치가 켜진다.

13. 다음 중 항목과 값이 일치하지 않는 것은?

항목 값
① 반환 형식 - void
② 함수 이름 - Ycyl_ctrl
③ 매개 변수 형식 - BOOL
④ 매개 변수 이름 - BN

14. 생산자동화 장비의 공정단계로 옳지 않은 것은?
① 부품공급 공정 ② 컨베이어벨트 공정 ③ 재선 공정
④ 흡착이송 공정

15. 제어 보드의 종류로 알맞지 않은 것은?
① 128보드 ② 8255보드 ③ 교류(AC) 모터 제어 보드
④ 발광다이오드 보드

16. 생산자동화 장비의 공정 단계별로 옳게 나열한 것은?

ㄱ. 부품공급 공정 ㄹ. 검사 공정
ㄴ. 컨베이어벨트 공정 ㅁ. 흡착이송 공정
ㄷ. 스토퍼 공정 ㅂ. 제품 적재공정

① ㄱ－ㄴ－ㄹ－ㄷ－ㅁ－ㅂ

② ㄱ－ㄴ－ㄷ－ㄹ－ㅁ－ㅂ

③ ㅂ－ㄴ－ㄹ－ㄷ－ㅁ－ㄱ

④ ㅂ－ㄴ－ㄷ－ㄱ－ㅁ－ㄹ

17. 휴먼 머신 인터페이스는 요구사항으로 옳지 않은 것은?

① 편리성　② 안정성　③ 안전성　④ 속도

18. 128 보드에서 받은 데이터를 외부로 출력하거나 외부입력을 128 보드에 출력하는 역할을 하는 것으로 옳은 것을 고르시오.

①. 8255　②. SWITCH　③. 7 SEGMENT　④. 128 보드

19. 제어 대상물을 실제 산업현장에서 사용되는 FA 장비의 축소 형태인 생산 자동화 장비의 6가지 단계를 기술하시오. (단답식)

①:　②:　③:　④:　⑤:　⑥:

20. 제어시스템의 구성에서 제어시스템과 생산 자동화장비끼리 알맞게 연결하시오.

①컴퓨터 ·　· ①직류 모터

②생산 자동화장비 ·　· ②트랜지스터 컨트롤보드

③직류 모터 컨트롤보드·　· ③유에스비 인터페이스

21. 다음 중 알맞은 말에 O, 틀린 말에는 X를 표시하시오.

① X축 전진 센서는 X축 실린더의 전진 완료 후 켜져 있다. (　　)

② 공급 후진 센서는 공급 실린더의 후진 상태 시 스위치가 켜진다. (　　)

③ X축과 Y축의 실린더 센서 종류는 총 6가지이다. (　　)

22. 다음 중 제어보드의 종류가 아닌 것을 고르시오. (　　)

① 128보드　② 8255　③ 14V3　④ TR_CONT

23. 다음 중 부품 공급 공정을 **구성**하는 것을 고르시오. (　　)
① 매거진　② DC모터　③ 리미트 스위치　④ 복동 실린더

24. 다음 중 휴먼 머신 인터페이스에 대해 **잘** 설명한 것을 고르시오.
① 유저 머신 인터페이스라고도 한다.
② 편리성, 안정성, 안전성, 가격 등이 요구되나, 사회 환경은 연관이 없다.
③ 컴퓨터에서는 사람이 접하는 키보드나 디스플레이, 프린터 및 스위치 부분등을 말한다.
④ 자동화 장비에서는 입력장치와 출력장치가 스스로 조작하고 동작되는 것을 말한다.

25. 기능 및 성능 테스트에서 확인되는 것이 아닌 것은?
① 속도　② 정밀도　③ 소음　④ 가격

26. 검사 공정에 대한 설명으로 알맞은 것은?
① 금속과 비금속을 분류한다.　② 부품을 적재한다.
③ 부품을 이송한다.　④ 부품이 적재되었는지 확인한다.

27. 안전/유의 사항이 아닌 것은?
① 전원의 극성이 바뀌지 않도록 주의한다.
② 개발도구 매뉴얼을 파악한다.
③ 신호를 측정할 때는 반드시 측정외 부분에 닿지 않아야한다.
④ 결선도에 따라 결선하고 신호선은 연결하지 않는다.

28. 검사 공정에서는 저주파 발진형 근접 센서와 정전 용량형 근접 센서에 의해 부품의 유무 검사 및 금속 / 비금속 검출을 한다. (O, X)

29. 제어 시스템은 컴퓨터와 '이것'을 이용하여 연결된다. 또한, '이것'을 이용한 보드는 다른 말로 128보드라고도 한다. '이것'은 무엇인지 서술하시오.

30. 흡착 공정에서는 X, Y, Z축 실린더의 전/후진 동작을 모두 제어할 수 있다. (O, X)

31. 스토퍼의 역할은 컨베이어 상의 제품의 이동을 막는 것이다. (O, X)

32. HMI의 약어를 풀어서 작성하고, HMI의 정의를 서술하시오.

33. (①) 테스트는 설계 문서에 설계된 대로 기계가 정확하게 동작 되는지를 확인하는 테스트이다. 이것은 장비의 기능에 따라 (②) 이나 (③), 이 둘로 나누어진다.

이와 다르게 (④) 테스트는 기능적으로 문제가 없더라도 속도, 정밀도, 소음 등 동작의 정도나 센서의 감지 정도가 설계기준치에 맞는지를 측정을 통해 확인하는 것이다.

각 번호란에 들어갈 답을 작성하시오.

① :　　　　　　② :　　　　　　③ :　　　　　　④ :

34. 인터페이스를 좌우하는 요인은 매우 많다. 이러한 인터페이스를 좌우하는 요인 4가지 이상을 서술하시오.

① :

② :

③ :

④ :

35. 제품 적재 공정에 대한 것으로 올바르지 않는 것을 고르시오.

① 제품 적재함　② DC모터　③ 광파이버 센서　④ 리미트 스위치

36. 흡착 이송 공정에 대한 것으로 올바르지 않는 것을 모두 고르시오.

① 매거진　② 컨베이어벨트　③ 진공패드　④ 단동실린더

37. 제어보드에 관한 설명으로 맞지 않는 것을 고르시오.

① PHOTO - 솔레노이드 밸브 제어용 보드로 8개의 TR을 이용하여 솔레노이드를 제어 할 수 있다.

② LED - 16개의 LED로 구성되어 있다.

③ 8255 - 128보드에서 받은 데이터를 외부로 출력하거나 외부입력을 128보드에 출력하는 역할을 한다.

④ 7SEGMENT - 2개의 Static구동 세그먼트와 두 개의 Dynamic구동 세그먼트로 구성된다

38. 생산자동화 장비에 맞지 않은 것을 고르시오.

① 적재부　　② 공급부　　③ 이송부　　④ 스토퍼부

39. 제어시스템 구성에 대한 설명으로 옳지 않을 것을 고르시오.

① 제어보드는 병렬입출력보드, 스위치보드, 스텝모터 제어 보드, 용량센서보드 등이 있다.

② 제어시스템은 컴퓨터와 유에스비(USB) 인터페이스를 이용하여 연결된다.

③ 생산자동화장비(MPS) 와의 연결은 직류(DC) 모터와 솔레노이드 제어를 위한 직류모터 컨트롤보드와 트렌지스터(TR) 컨트롤 보드를 통해 연결된다.

④ 각 센서 값을 얻어오기 위한 포토커플러 등이 있다.

40. 기계조작에서의 기계와 사람의 접점 또는 경계에서의 형태를 의미하는 것을 고르시오.

① 걸-머신 인터페이스

② 맨-머신 인터페이스

③ 우먼-머신 인터페이스

④ 보이-머신 인터페이스

연습문제 2 (PC기반제어)

1. 제어 보드의 종류로 옳지 않은 것은?

① 128보드 ② 8255 ③ LED ④ PHOTO ⑤ BOTTON

2. 스토퍼 공정에서 사용하는 부품에서 옳지 않은 것은?

① STOPPER 브라켓 ② 스토퍼용 실린더 ③ 리니어부쉬
④ 가이드 샤프트 ⑤ 리밋 스위치

3. 검사 공정이 하는 일로 올바른 것은?

① 부품의 위치를 고정 ② 금속과 비금속을 구분
③ 부품을 이송 ④ 부품을 적재 ⑤ 부품을 컨베이어로 공급

4. 휴먼 머신 인터페이스의 설명으로 옳지 않은 것은?

① 맨-머신 인터페이스라고 불린다
② 키보드, 디스플레이, 프린터, 스위치 부분을 등을 말한다.
③ 편리성, 안정성 등 많은 요인에 영향을 받는다.
④ 가격이 비싸고 사용하기가 다소 어렵다.
⑤ 기계와 사람의 접점 또는 경계에서의 형태를 의미한다.

5. 휴먼 머신 인터페이스를 좌우하는 여러 요인중 3가지를 서술하시오.

1.
2.
3.

6. 제품 적재 공정으로 구성되지 않는 것은? ( )

① 제품 적재함 ② 단동 실린더 ③ DC모터 ④ 리밋 스위치

7. 다음 중 센서가 사용되지 않는 동작은?

① 제품 공급 공정 제어
② 컨베이어 공정 제어
③ 흡착 공정 제어
④ 제품 적재 공정 제어

8. 검사공정 제어 동작에 대해 간략히 서술하시오.

9. 인터페이스가 요구되는 요인이 옳지 않는 것은(　)
① 소음 ② 편리성 ③ 가격 ④ 안전성

10. C++ 언어의 특징이 아닌 것은? (　)
① 기존 C언어와 호환성을 가진다.
② 래더 기반의 PLC 전용 언어이다.
③ 기존 C언어에서 객체지향 개념이 추가되었다.
④ 클래스(class) 단위로 작성하는 모듈화 언어이다.

11. 다음 C언어 프로그램 중 □칸의 변수가 지정된 10진수 일 때 사용하는 출력 명령어는? (　)
printf("Sum=□",x)
① %s ② %d ③ %f ④ %e

12. C 소스에서 표현되는 바른 단어(토큰)가 아닌 것을 고르시오(　)
① main　② return　③ #include　④ integer

13. (　　　)안의 올바른 단어를 적으시오.
생산자동화 장비와 연결은 직류 모터와 솔레노이드 제어를 위한 직류 모터 컨트롤보드와 트랜지스터 컨트롤 보드를 통해 연결되며, 각 센서 값을 얻어오기 위한 (　　　　　)가 있다.

14. 다음에서 설명하는 생산자동화공정은 무엇인가?

매거진에 부품이 적재된 후 공급용 실린더에 의해 부품이 컨베이어로 공급되어지는 공정으로 공급용 실린더와 매거진, 공급블록 등으로 구성된다.

① 부품공급공정　② 컨베이어벨트(운전) 공정
③ 스토퍼 공정　④ 제품 적재 공정

15. 검사 공정에서 부품의 양품 및 불량품 검출 센서로 사용되고 금속을 검출할 수 있는 센서는?

① 용량형센서 ② 유도형센서
③ 리밋스위치 ④ 광센서

16 생산자동화장비의 센서 값을 읽어오기 위한 보드로 보드당 8개의 입력을 받을 수 있는 제어보드는?

① 128보드 ② 8255
③ 7SEGMENT ④ PHOTO

17. 다음 빈칸에 들어갈 알맞은 접속 장치는?

128보드는 전체적인 제어를 하며 보드에 장착된 FT245칩을 통해 PC에 (   )로 접속하며, 8255보드를 통해 제어보드 전체를 제어하는 역할 한다.

① RS232 ② RS422
③ Ethernet ④ USB 인터페이스

18. PC제어 프로그램에서 안전, 유의 사항으로 **틀린 것**을 고르시오.

① 개발도구 매뉴얼을 파악한다.
② 자료에 의해 제어 대상물과 인터페이스 사양에 대한 기능을 파악한다.
③ 전원을 투입한 후 도면에 따라 결선이 되었는지 최종 확인을 한다.
④ 결선도에 따라 결선하고 신호선이 잘못 연결되지 않도록 주의한다.

19. 다음에서 설명하는 인터페이스는?

맨-머신 인터페이스라고도 하며 기계조작에서의 기계와 사람의 접점 또는 경계에서의 형태를 의미하며 컴퓨터에서는 사람이 접하는 키보드나 디스플레이, 프린터 및 스위치 부분 등을 말한다. 자동화 장비에서는 장비를 동작시키는 입력장치와 장비의 상태 및 조작의 결과에 따른 장비의 출력장치가 사람에 의해 조작되고 사람에게 전달되는 방법을 의미한다

① HMI ② TMI ③ RS-232C ④ OS

20. c언어에서 조건문을 코딩할 때 사용되는 함수는 무엇인가?

① if ② for
③ int ④ while

21. c언어에서 사용되는 어떠한 기능 및 함수들을 미리 정의해 놓은 파일을 무엇이라 하는가?

① 배열 ② 헤더 파일
③ 실행 파일 ④ 초기 파일

22. c언어와 같은 언어로 작성된 프로그램을 기계어로 번역하는 것을 무엇이라 하는가?

① 번역 ② 다운로드
③ 업로드 ④ 컴파일

23. 제어 프로그램을 기계장비 및 시스템에 설치하여 정상 작동 유무를 테스트하는 것을 무엇이라 하는가?

24. 각 실린더의 역할로 옳지 않은 것은?

① 흡착 SOL : X축 실린더에 달린 흡착 솔레노이드.
② X축 전진 SOL : X축 실린더를 제어하는 솔레노이드밸브.
③ Y축 전진 SOL : Y축 실린더를 제어하는 솔레노이드밸브.
④ 스토퍼 전진 SOL : 스토퍼가 달린 실린더의 솔레노이드밸브. 전진제어.
⑤ 스토퍼 후진 SOL : 스토퍼가 달린 실린더의 솔레노이드밸브. 후진제어.

25. 다음 중 공정제어 프로그램 모듈이 아닌 것은?

① 제품 공급 공정 제어 ② 컨베이어 공정 제어
③ 흡착 공정 제어 ④ 센서 동작 제어
⑤ 검사공정 제어

26. 매거진에 부품이 적재된 후 공급용 실린더에 의해 부품이 컨베이어로 공급되는 공정은?

① 부품공급공정 ② 컨베이어벨트(운전) 공정
③ 검사 공정 ④ 스토퍼 공정

27. 컨베이어에 의해 공급된 부품을 이동시키기 위하여 부품의 위치를 고정해 주는 공정으로 광화이버센서에 의해 부품의 유무를 확인하는 공정은?

① 부품공급공정 ② 컨베이어벨트(운전) 공정
③ 검사 공정 ④ 스토퍼 공정

28. 제품 적재 공정의 적재함 위치 감지용으로 사용되는 부품은?

①DC모터 ②광파이버 센서
③리드 스위치 ④리미트 스위치

29. 설계 문서나 사양서에 기술된 대로 장비가 해당 기능들을 정확하게 동작하는지를 검증하는 테스트는?

①성능 테스트 ②프로그램 통합 테스트
③기능 테스트 ④버피 테스트

30. 부품공급공정 구성부품의 이름과 설명으로 알맞지 않은 부품은?

① 매거진 (금속과 플라스틱의 부품 저장)
② 광바이퍼 센서(부품 유무 검출용)
③ 단동 실린더(부품의 공급을 위해 양솔 솔레노이드 밸브사용)
④ 리드 스위치(실린더의 위치 검출용-전진,후진)

31. 기능 시험 결과서에 시험결과가 NG인 경우에는 어떻게 해야하는지 고르시오..

① 성공이라고 적는다
② 비고란에 상세하게 기록한다.
③ 비고란에 간단하게 기록한다.
④ 비고란에 NG라고 적는다.

32. 다음 중 16진수 C를 10진수로 변환한 값은?

① 10 ② 11 ③ 12 ④ 13 ⑤ 14

33. 다음 중 switch case문을 끝내기 위한 함수는?

① break; ② else; ③ return; ④ for; ⑤ if;

34. 검사 공정에 관한 설명으로 옳은 것은?
① 메거진에 부품이 적재된 후 공급용 실린더에 의해 부품이 컨베이어로 공급 되어지는 공정
② 공급된 부품의 이송을 위한 컨베이어로써 컨베이어벨트, 구동모터, 환벨트, 환벨트용 폴리 등으로 구성 되어진다.
③ 고주파 발진형 근접센서와 정전 용량형 근접센서에 의해 부품의 유무검사와 금속/비금속 검사를 한다.
④ 컨베이어에 의해 공급되어진 부품을 이동시키기 위하여 부품의 위치를 고정해주는 공정으로 광화이버 센서에 의해 부품의 유무를 확인한다.
⑤ STOPPER에 의해 고정된 부품을 적재함으로 이송해주는 공정으로 진공패트 및 X,Y축 실린더 등으로 구성되어진다.

35. 제어보드의 종류 중 옳지 않은 것은?
① 유에스비(USB) 인터페이스보드 (128보드)
② 직렬 입출력보드 (8255PPI보드)
③ 직류(DC)모터 제어보드
④ 트랜지스터(TR) 컨드롤보드
⑤ 스위치 보드

36. 흡착이송공정의 구성중 옳지 않은 것은?
① 단동실린더 (X축, 편 솔레노이드 벨브사용)
② 진공패드
③ 단동실린더 (Y축, 편 솔레노이드 벨브사용)
④ DC모터

37. 테스트할 때 기기(장비,공구)를 2가지 이상 서술하시오.
( )

38. 다음 중 실제로 컴퓨터가 이해할 수 있는 언어는?
① 웨어블러
② 웨어블리어
③ 어셈블리어
④ 코딩

39. 생산자동화 장비에서 한 사이클의 동작을 위해서 알아야 할 사항이 아닌 것은?

① 실린더 ② 밸브 ③ 센서

④ 액추에이터의 전기 결선 ⑤ 컨베이어벨트

40. 검사 공정의 상태에서 부품의 양품 및 불량품을 검출하는 센서 두 가지는?

①

②

연습문제 3 (HMI)

1. HMI 속성값 지정은 디자인에 추가된 각각의 구성요소에 색상, 표시텍스트, 연결 메모리, 동작방법 등 속성값을 설정한다. (O / X)

2. 고급 프로그래밍 언어에 의한 개발은 C/C++, Basic 등과 같은 프로그래밍 전용 언어로 HMI의 모든 기능을 개발하는 방법이다. (O / X)

3. HMI 디자인 순서로 옳은 것은?
① 기본 창 만들기 – 화면 디자인 – 속성값 설정 - 스크립트 작성 – 미리보기 및 시뮬레이션
② 기본 창 만들기 – 스크립트 작성 – 화면 디자인 – 속성값 설정 – 미리보기 및 시뮬레이션
③ 기본 창 만들기 – 속성값 설정 – 스크립트 작성 – 화면 디자인 – 미리보기 및 시뮬레이션
④ 기본 창 만들기 – 스크립트 작성 – 속성값 설정 – 화면 디자인 – 미리보기 및 시뮬레이션

4. HMI 화면 작화 방법이다 옳지 **않은** 것은?
① GT Designer 프로그램을 실행 시킨다
② 삽입된 오브젝트를 적절히 배치하고 속성값의 Devide 정보에 실제 I/O 번호를 각각 부여한다
③ 'Object' 아이콘에서 'Bit button'을 선택하여 전진, 후진 버튼을 삽입한다
④ 'Object' 아이콘에서 디스플레이 박스를 삽입한다

5. 디버깅에 대한 설명으로 옳지 **않은** 것은?
① PLC 및 하드웨어 – I/O 디버깅
② 고급언어 컴파일러에서 불러와서 디버깅 하는 방법 – 스크립트 디버깅
③ HMI에서 해당 부위가 제대로 On/Off 되는지 확인하고 잘못된 부분은 수정하는 방법 – I/O 디버깅
④ HMI 화면 – 스크립트 디버깅

6. 프로그램 설치 구성으로 옳지 **않은** 것은?
① 시리얼 통신
② 소프트웨어 설치파일 또는 실행파일

③ 소프트웨어를 설치할 하드웨어 단말기
④ 통신케이블

7. 이더넷 통신포트는 모든 PC에 기본적으로 내장하고 있기 때문에 별도의 부가장치 없이 사용할 수 있다. (O / X)

8. RS232C 통신으로 사용하는 컨넥트의 핀수로 옳은 것을 **모두** 고르시오
① 9핀 ② 16핀 ③ 18핀 ④ 25핀

9. 디버깅에 대해 **잘못** 설명한 것을 고르시오.
① Basic, C와 같은 고급 프로그래밍 언어로 작성된 프로그램만 할 수 있다.
② 컴퓨터가 이해할 수 있는 기계어로 된 목적프로그램으로 번역하는 과정에서 오류가 있는지 검사하는 것이다.
③ 오류 발생 시 오류를 찾아 수정하는 작업을 말한다.
④ 오류 발생 시 오류를 찾아 저장하는 작업을 말한다.

10. 디버깅을 실행하는 방법 중 옳은 것을 **두 개** 고르시오
① 한 글자씩 실행하는 방법 ② 한 줄씩 실행하는 방법
③ 브레이크 포인트를 이용하는 방법 ④ 한 문단씩 실행하는 방법

11. HMI 프로그램 설치에 대해 알맞지 않은 것을 고르시오.
① 같은 고급언어로 개발된 HMI는 설치 및 배포용 SETUP 파일을 만들어 설치한다.
② 소프트웨어 개발 시 사용한 각종 라이브러리 및 DB, OCX 파일 등을 포함하여야 한다.
③ 전용 HMI 소프트웨어로 개발된 것은 Runtime 모듈이 별도로 제공된다.
④ 전용 HMI 소프트웨어로 개발된 것은 모듈이 별도로 필요없다.

12. 통신설정의 종류가 아닌 것을 2개 고르시오.
① 시리얼 통신 ② 이더넷 통신 ③ 시더넷 통신 ④ 이리얼 통신

13. 통신 케이블 점검에 대해 잘 설명한 것을 고르시오.
① RS232C 통신은 보통 9핀, 25핀 컨넥트를 사용한다.
② RS232C 통신은 보통 8핀, 24핀 컨넥트를 사용한다.

③ 이더넷 케이블의 연결방법에는 다이렉트 방식과 언다이렉트 방식이 있다.
④ RS232C 통신케이블의 경우 양쪽 기기간 배선은 RX, TX를 서로간 평행하게 연결하면 기본적인 통신이 가능하다.

14. 노이즈 체크 시에 지켜야 할 사항에 대해 잘못 설명한 것을 고르시오.
① 전원 케이블과 신호 케이블은 분리 시킨다.
② 통신용 케이블은 shield 선을 접지한다.
③ 특히 고압전선과 인버터 케이블은 노이즈를 발생시킬수 있으므로 가능한한 가까이서 분리한다.
④ 각종 케이블의 shield 선을 접지한다.

15. 통신 테스트 및 점검 시 안전 유의 사항이 아닌 것을 고르시오.
① 실험대상물이 파손되지 않도록 조심해서 다룬다.
② 케이블을 연결하거나 분리할 때에는 창을 열어 실내 환기를 시킨다.
③ 실습실 내부의 실습 규정에 따른다.
④ 산업 안전 법규를 준수한다.

16. HMI가 정상적으로 작동되지 않는 가장 큰 원인은 통신이 제대로 이루어지지 않는 경우이다. (O , X)

17. 맨-머신 인터페이스라고도 하며 기계조작에서의 기계와 사람의 접점 또는 경계에서의 형태를 의미하며 컴퓨터에서는 사람이 접하는 키보드나 디스플레이, 프린터 및 스위치 부분등을 말한다.
자동화 장비에서는 장비를 동작시키는 입력장치와 장비의 상태 및 조작의 결과에 따른 장비의 출력장치가 사람에 의해 조작되고 사람에게 전달되는 방법을 의미하는 것은 ? ( )

18. 설계문서와 사양서에 기술된대로 장비가 해당기능들을 정확하게 동작하는지를 검증하는 것이며 장비의 기능에 따라 단위기능이나 모듈기능으로 나누어질수 있으며 입력에 따라 또는 프로그램의 흐름에 따라 정해진 기능을 수행하는 지를 확인하는 것은 ? ( )

19. 안전 유의사항 중 틀린 것을 고르시오.

① 실린더 작동시에는 협착사고가 나지 않도록 안전사고에 유의한다.
② 실습실 내부의 실습 규정에 따른다.
③ 케이블을 연결하거나 분리할 때에는 메인 전원이 차단된 상태에서 한다.
④ 실험대상물이 파손되도록 조심히 다룬다.

20. 고급프로그래밍 언어로 작성된 원시프로그램을 컴퓨터가 이해할 수 있는 기계어로 된 목적프로그램으로 번역하는 과정에서 오류가 있는지 검사하고 오류 발생시 오류를 찾아 수정하는 작업은 무엇인가? (　　　　　　　　)

21. HMI 기본 창 만들기 중 프로그램에서 새로운 창를 만드는 메뉴를 이용하여 새 창을 만든다. (O , X)

22. 프로그램 실행 중 옳은 것을 모두 고르시오

① 컴파일하고 실행 버튼을 눌러서 프로그램을 실행한다.
② 실행화면에서 버튼을 눌러서 텍스트 박스에 표시된 값을 확인한다.
③ 1에서 100까지 더한 값이 표시되어야 하는데 값이 올바른지 확인한다.
④ 다른 결과가 나온다면 소스 코드의 어느 부분이 잘못되었는지 찾아본다.

23. 프로그램 디버깅 중 변수의 값을 변화를 체크해 보고 어느 부분이 잘못되었는지 찾아내어 정상적이 결과 값이 나올 수 있도록 수정해 본다. (O, X)

24. HMI 만들어진 창에 그리기 도구를 이용하여 원하는 구성요소를 추가하여 디자인 한다. 기본으로 제공하는 그래픽 도구 및 라이브러리를 이용 가능하며, 필요에 따라 제작자가 원하는 그림을 삽입할 수도 있다. (O , X)

25. HMI 개발 소프트웨어의 종류중 알맞는 것은?
① 고급 PLC에 의한 개발 ② HIM 전용 소프트웨어에 의한 개발 ③ PLC 전용 도구에 의한 개발 ④ C언어에 의한 개발

26. 자동화 작업 및 실험 실습 수행시 안전 유의 사항 2가지 이상 서술하시오.

①
②

27. HMI화면 작화할 때 맨 마지막 방법으로 알맞은 것은?
① 작화를 삽입하고 확인한다.
② 삽입된 오브젝트를 적절히 배치한다.
③ 디스플레이 박스를 삽입한다.
④ 'preview'를 실행해서 원하는 화면이 되는지 확인한다.

28. HMI설치용 하드웨어 단말기 중 올바른 것을 모두 고르시오.
① Desk Top PC ② Panel PC
③ 전용 Touch Panel ④ Ben Q Gv1

29. HMI 통신종류를 두가지 작성하시오.
①________ ②________

30. 이것에 의한 HMI는 PC에서 바로 구동되는 것이 아니라 전용 터치패널에서 구동되는 구조이다, 이것은 ?
① PLC 전용도구 ② 이더넷 통신 ③ 소프트웨어 ④ 고급 언어

31. 다음에서 말하는 것은 무엇인가? (   )
(   ) 은(는) Basic, C와 같은 고급 프로그래밍 언어로 작성된 원시 프로그래밍을 컴퓨터가 이해할 수 있는 기계어로 된 목적 프로그램으로 번역하는 과정에서 오류가 있는지 검사하고 오류 발생 시 오류를 찾아주는 작업을 말한다.

32. 다음 중 전반적인 프로그래밍 순서로 **옳은 것**은?
① 기본 창 만들기 → 화면 디자인 → 속성값 지정 → 스크립트 작성 → 미리보기 및 시뮬레이션
② 기본 창 만들기 → 속성값 지정 → 화면 디자인 → 스크립트 작성 → 미리보기 및 시뮬레이션
③ 기본 창 만들기 → 스크립트 작성 → 화면 디자인 → 속성값 지정 → 미리보기 및 시뮬레이션
④ 기본 창 만들기 → 속성값 지정 → 스크립트 작성 → 화면 디자인 → 미리보기 및 시뮬레이션

33. HMI 설치를 위해서 필요한 요소가 **아닌 것은** 무엇인가?
① 소프트웨어 실행 파일
② URL
③ 하드웨어 단말기
④ 통신케이블

34. PC 기반 HMI 설치에 대해 알맞은 것에 표기하시오.

PC에서 구동되는 HMI는 일반적인 Window 응용프로그램 설치 방법과 (일치 / 불일치) 한다.
개발된 HMI 프로그램은 통신설정을 위하여 각 통신 방식에 따른 환경설정 메뉴를 (별도로 / 포함하여) 갖추고 있다.

35. 디버깅 작업 방법에 대한 것이 **아닌** 것은?
① 데스크 상의 검사
② 컴퓨터 이용 검사
③ 디버깅 보조기 이용 검사
④ 컴파일러 이용 검사

36. 다음에서 설명하는 '**기능**'은 무엇인가? (   )

소프트웨어에 따라 제공되는 **기능**으로, 실제 PLC와 연결되지 않아도 이 **기능**을 통하여 가상 PLC와 연결하여 HMI를 동작시킬 수 있다.

37. 스크립트 작성에서, 기본적으로 주로 사용되는 프로그래밍 언어는 무엇인가? (   )

38. 다음 중 각 설명에 대한 알맞은 답안을 서술하시오.
<1> 일반 소프트웨어를 개발하듯이 C/C++, Basic 등과 같은 프로그래밍 전용 언어로 HMI를 개발하는 방법.
(   )
<2> HMI 개발을 위한 전용 소프트웨어를 이용하여 개발하는 방법
(   )

<3> PLC 제조사에서 별도로 제공하는 자사 제품 전용 HMI 개발 도구를 이용해 개발하는 방법
(   )

39. HMI 프로그램을 작성할 때 디자인 순서로 알맞은 것은?

ㄱ. 기본 창 만들기 **ㄹ. 속성값 지정**
ㄴ. 미리보기 및 시뮬레이션 **ㅁ. 화면 디자인** **ㄷ. 스크립트 작성**

① ㄱ-ㄷ-ㄹ-ㅁ-ㄴ
② ㄱ-ㅁ-ㄹ-ㄷ-ㄴ
③ ㄹ-ㄱ-ㄴ-ㄷ-ㅁ
④ ㄹ-ㄱ-ㅁ-ㄷ-ㄴ

40. 디버깅이란 Basic, C와 같은 고급 프로그래밍 언어로 작성된 원시프로그램을 컴퓨터가 이해할 수 있는 기계어로 된 목적프로그램으로 번역하는 과정에서 오류가 있는지 검사하고 오류 발생 시 오류를 찾기만 하는 과정을 말한다. (O / X)

41. HMI 설치용 하드웨어 단말기 종류로 알맞지 않은 것은?
① Desk Top PC
② Panel PC
③ 전용 Touch Panel
④ PLC

42. 개발된 HMI를 시스템에 설치하기 위해서 필요한 요소로 옳지 않은 것은?
① 소프트웨어 설치파일 또는 실행파일
② 소프트웨어를 설치할 하드웨어 단말기
③ 통신케이블
④ GT Designer 소프트웨어

43. HMI 통신 설정 방식에서 가장 많이 사용되는 방식은 시리얼 통신과 이더넷 통신이다. (O/X)

44. HMI 설치 및 테스트 시 안전•유의 사항으로 옳지 않은 것은?
① 실험대상물이 파손되지 않도록 조심해서 다룬다.
② 케이블을 연결하거나 분리할 때에는 메인 전원이 차단된 상태에서 한다.
③ 공압호스를 연결 또는 분리할 때에는 메인 밸브를 잠그지 않은 상태에서 한다.
④ 실습실 내부의 실습 규정을 따른다.

45. 이더넷 케이블의 연결방법에는 크로스 방식과 간접 방식이 있다. (O / X)

46. 다음은 HMI 개발 소프트웨어의 종류 중 '**고급 프로그래밍 언어에 의한 개발**'에 대한 설명이다. (O , X)

HMI 고급 프로그래밍 언어에 의한 개발은 모든 것을 직접 코딩하여 개발해야 하므로 많은 시간이 걸리고 프로그래밍 언어에 능숙한 사람이 아니면 개발하기가 쉽지 않다.

47. 다음은 HMI 개발 소프트웨어의 종류 중 '**PLC 전용도구에 의한 개발**'에 대한 설명이다. (O , X)

같은 회사의 HMI 개발도구 일지라도 모델이 다르면 PLC 프로그램과 연동 및 호환성이 떨어져 사용하기 힘들다는 단점이 있다.

48. 다음 중 **HMI 프로그램 작성 순서** 중 <u>**올바른**</u> 디자인 순서로 배열한 것은?
① 기본 창 만들기-속성값 지정-스크립트 작성-화면디자인-미리보기 및 시뮬레이션
② 기본 창 만들기-스크립트 작성-속성값 지정-화면디자인-미리보기 및 시뮬레이션
③ 기본 창 만들기-화면디자인-속성값 지정-스크립트 작성-미리보기 및 시뮬레이션
④ 스크립트 작성-속성값 지정-기본 창 만들기-화면디자인-미리보기 및 시뮬레이션

49. 다음중 '**고급언어 컴파일러에서의 디버깅**'과 ' **HMI 전용 소프트웨어에서 디버깅**' 방법중 알맞지 **<u>않은</u>** 것은?

① Break Point를 이용하는 방법

② 한 줄씩 실행하는 방법

③ Script 디버깅

④ HMI 디버깅

50. 다음은 통신설정 밥법 중 '**시리얼 통신**'에 대한 설명이다. (O , X)

별도의 PCI 타입 멀티포트를 장착한 경우 해당 제품의 디바이스드라이버를 설치하여 윈도우에서 COM 포트를 인식할 수 있도록 하여야 한다.

51. 다음 중 'HMI 프로그램 설치' 방법에 대한 설명으로 알맞지 않은 것은??

① 'PC기반 HMI설치'에서 PC에서 구동되는 HMI는 일반적인 윈도우 응용 프로그램 설치 방법과 동일하다.

② 'PLC 전용도구의 HMI 설치'에서 PLC 전용도구에 의한 HMI는 PC에서 바로 구동되는 것이 아니라 전용 터치패널에서 해당 파일을 구동시켜 HMI가 실행된다.

③ 'PC기반 HMI설치'에서 보통 설치용 파일로 만들어 제공되므로 탐색기에서 Startup 파일을 실행하여 설치하면 된다.

④ 'PC기반 HMI설치'에서 PLC 전용 개발 도구에서의 HMI 설치 순서는 프로그램 파일 다운로드-연결된 통신케이블 선택 - 확인버튼 누르기 순으로 구성되어 있다.

52. HMI 개발 소프트웨어의 종류로 알맞지 않은 것을 고르시오. (　　　　)

① 고급 프로그래밍 언어에 의한 개발

② HMI 전용 소프트웨어에 의한 개발

③ HMI 화면 디자인 개발

④ PLC 전용 도구에 의한 개발

53. HMI 개발 소프트웨어의 종류로 고급 프로그래밍 언어에 의한 개발은 프로그래밍 언어에 능숙한 사람이 아니면 개발하기가 쉽지 않다. (O, X)

54. 디버깅의 작업 중 컴퓨터를 이용한 표준적 데이터로 메인 루틴을 조사하는 컴퓨터를 사용한 검사가 있다. (O, X)

55. 노이즈에 의한 문제를 예방하기 위한 사항 중 알맞지 **<u>않은 것</u>**을 고르시오. (   )

① 통신용 케이블은 Shield 선을 사용한다.

② 전원 케이블과 신호 케이블은 분리시킨다.

③ RS422 통신의 경우 접지저항을 부착한다.

④ 각종 케이블의 Shield 선을 접지한다.

56. 아래 그림의 이름을 서술하시오. (   )

57. 안전 및 유의 사항 중 옳지 **<u>않은 것</u>**을 고르시오. (   )

① 케이블을 연결하거나 분리할 때에는 메인 전원이 차단된 상태에서 한다.

② 실습실 내부의 실습 규정을 따른다

③ 공압호스를 연결 또는 분리할 때에는 메인 밸브를 잠근 상태에서 한다.

④ 실린더 작동시에는 흡착사고가 나지 않도록 안전사고에 유의한다.

연습문제 4 (HMI)

1. 집중 원격감시 제어시스템 또는 감시 제어데이터 수집 시스템으로 통신 경로상의 아날로그 또는 디지털 신호를 사용하여 원격장치의 상태정보 데이터를 원격소장치(Romote terminal unit)로 수집, 수신, 기록, 표시하여 중앙 제어시스템이 원격장치를 감시제어하는 시스템을 말하며 발전.송배전 시설, 석유화학 플랜트, 제철공정 시설, 공장 자동화 시설 등 여러 종류의 원격지 시설 장치를 중앙 집중식으로 감시제어하는 시스템을 무엇이라하는지 적으시오.

2. HMI가 적용되는 분야를 3가지 이상 적으시오.

3. HMI에 대한 설명으로 옳지 않은 것은?

① HMI는 Human machine interface의 줄임말이다.

② HMI는 컴퓨터, 기계, 장치, 시스템과 그것을 이용하는 사람 간의 인터페이스로 시각, 청각, 촉각적인 것을 모두 포함하다.

③ HMI는 개방형 시스템으로 설계되어 있지만 외부의 시스템, 사용자 응용 프로그램, 상용 패키지들과 데이터를 주고받을 수 없다.

④ HMI는 다양하고 화려한 그래픽 환경을 제공한다.

4. 시스템의 안정적인 이유로 주 산업현장에서 많이 사용되며 자동 제어장치의 일종으로 프로그램 제어에 많이 이용되고 있는 자동화 장비를 적으시오.

5. PLC는 제어시스템의 회로도에 따라 릴레이, 접점, 타이머, 카운터 등을 직접 접속하여 사용하는 자동화 장비이다. (O / X)

6. PLC에 대한 설명으로 옳은 것은?

① PLC는 연산 기능만을 수행한.

② PLC는 제어 시스템을 변경하기 위해서 많은 시간과 비용이 든다.

③ PLC의 구성 중에 프로그램을 기억하는 입출력부가 있다.

④ 생산 현장에서 사용되므로 온도나 노이즈(noise)등에 강하고 취급이 쉬운 구조로 되어 있다.

7. 계측장치란 무엇인지 서술하시오.

8. 중량을 측정하는 장치로서 하중을 가하면 그 크기에 비례하여 전기적 출력이 발생 되는 힘 변환기는 무엇인가?

9. HMI의 통신 방법 2가지를 적으시오.

10. HMI 화면의 종류를 4가지 이상 적으시오.

11. HMI 화면의 구성요소로 옳지 않은 것은?
① 버튼 ② 타이머 ③ 램프 ④ 그래프

12. HMI 설계시 고려할 사항을 3가지 이상 적으시오.

13. SCADA 시스템의 주요 기능으로 옳지 않은 것은?
① 원격장치의 경보 상태에 따라 미리 규정된 동작을 하는 감시 시스템의 기능인 경보기능
② 디지털 펄스 정보를 수신, 합산하여 표시·기록에 사용할 수 있도록 한다
③ 원격장치의 상태정보를 수신, 표시·기록하는 감시 시스템의 지시·표시 기능
④ 개방된 시스템 구조

14. HMI의 적용분야로 옳지 않은 것은?
① 공장 자동화 시스템 ② 네트워크
③ 빌딩 자동제어 시스템 ④ 공정 자동화 시스템

15. PLC는 무엇인지 서술하시오.

16. 계측장치의 종류를 3가지 이상 적으시오.

17. 회전 방향의 기계적 변위량을 디지털량에 변환하는 위치 센서를 총칭하는 것을 무엇인가?

18. HMI의 특징을 3가지 이상 적으시오.

19. HMI 시스템의 구성으로 옳지 않은 것은?
① STAND-ALONE 시스템 ② 이중화 시스템
③ 공정 자동화 시스템 ④ 분산 시스템

20. HMI설계 시 고려해야 할 사항들을 3가지 이상 적으시오.

21. HMI는 크게 3가지 요소로 구성되어 있다. 이 3가지 요소는 무엇인가?

22. 데이터베이스는 상호 관련된 데이터들의 모임이다.
이 모임에 속하지 않는 데이터는 무엇인가?
① 통합 데이터 ② 저장 데이터
③ 운영 데이터 ④ 응용 데이터

23. 데이터베이스의 특징을 3가지 이상 적으시오.

24. HMI화면에서 설비의 구성도 및 전체 레이아웃을 표시하여 전반적인 시스템 정보를 한눈에 모니터링 할 수 있는 화면으로 주로 메인화면에 해당하는 화면의 종류는 무엇인가?

25. SCADA에 관한 내용으로 옳지 않는 것은?
① 원격장치의 경보 상태에 따라 미리 규정된 동작을 하는 감시시스템의 기능인 경보기능을 가지고 있다.
② 원격외부 장치를 선택적으로 수동, 자동 또는 수. 자동 복합으로 동작하는 감시 제어 기능을 가지고 있다.
③ 원격장치의 상태정보를 수신, 표시. 기록하는 감시 시스템의 지시.표시 기능을 가지고 있다.
④ 아날로그 펄스 정보를 수신, 합산하여 표시.기록에 사용할 수 있도록 한다.

26. HMI의 개념에 대해 말로 서술하시오.

27.HMI의 주요기능 3가지이상 서술하시오.

28. PLC에대한 설명으로 옳지 않은 것은?

① 제어장치의 일종으로 프로그램 제어에 가장 많이이용되고 있는 장비이다.

② 컴퓨터와 같은 원리로 동작하며 산업 현장의 공정제어장치를 비롯한 여러 분야에서 널리 이용되어져 오고 있다.

③ 각종기계나 공정 등의 제어를 위하여 종래에 사용하던 릴레이, 타이머 등의 기능이 반도체 소자와 소프트웨어로 구성되어 있다.

④ 현장정보 DB화 및 동적 그래픽 디스플레이, 트렌딩. 리포팅, 한글처리가 가능하다.

29. HMI의 특징에 대해 알맞지 않은 것은?

① 편리한 이중화시스템 ② 개방형 시스템

③ 유연한 시스템 구성 ④ 신속한 성능 향상

30. HMI의 적용분야 3가지 이상 서술하시오.

31. 하기 내용 중 HMI 기능설계 순서를 차례대로 나열하시오.

(기본적인 시스템 구성, 드라이버 및 데이터베이스 구성, 추가기능 작업 , 그래픽생성)

32. HMI의 설계시 고려사항 3가지 이상 서술하시오.

33. HMI의 구성요소인 데이터베이스의 특징에 대해 알맞지 않은 것은?

① 실시간 접근성 ② 계속적인 진화

③ 동시 공유 ④ 투플(typle)에 의한 참조

34. HMI의 구성요소인 데이터베이스의 종류에 대해 알맞지 않은 것은?
① 중복 데이터 ② 저장 데이터
③ 운영 데이터 ④ 공용 데이터

35. HMI화면의 구성요소 3가지이상 서술하시오.

36. 시스템을 설계할 때 표준 설계안이 있으면 설계의 분포성과 명확성을 가질 수 있다. (O/X)

37. HMI 소프트웨어의 주요 기능으로 옳지 않은 것은?
① 개방된 시스템 구조
② 네트워크 연결, 이중화 시스템의 지원
③ 강력한 프로그래밍 툴 지원
④ 단조로운 그래픽 환경 지원

38. 기계장비의 종류와 그 특징으로 짝지어진 것을 고르시오
① PLC - 고신뢰성, 짧은 수명으로 유지보수 비용이 적다
② 센서류 - 센서 데이터를 읽기 위해서 무조건 PLC와 연결해 읽어야 한다
③ 엔코더 - 하중의 크기에 비례해 전기적 출력 신호가 바뀐다
④ 로드셀 - 신호 값을 얻기 위해서는 전용 변환기를 사용해야 한다

39. HMI의 특징 중 하나인 개방형 시스템의 단점으로는 정해진 I/O 디바이스를 사용해야 한다는 것이다. (O / X)

40. 다음 중 설명하는 HMI 시스템을 고르시오.

제어 및 감시 대상의 규모가 커서 전체 공정을 처리하기에 시스템의 부하가 너무 과중하거나, 공정의 일부가 중지되더라도 나머지 공정에 영향을 미치지 않도록 각 세부 공정을 분산하고자 하는 경우에 적용한다.

① STAND-ALONE 시스템 ② 분산(Client/Server) 시스템
③ Line 이중화 ④ 서버 이중화

41. HMI의 적용 분야가 아닌 것은?

① 공정 자동화 시스템 ② 업무 자동화 시스템

③ 공장 자동화 시스템 ④ 빌딩 자동화 시스템

42. HMI의 통신 방법 중 한가지로 빠른 속도와 원거리 통신, 다중 접속 등의 장점으로 최근 가장 많이 사용되는 방식이다. 이 통신 방법은 무엇인가?

( )

43. HMI 설계 시 고려사항에 대해 옳은 것에 대해 고르시오.

( )

㉠ 페이지 운용을 어떻게 할 것인가?
㉡ 시스템의 보안 설정을 어떻게 할 것인가?
㉢ 운전자가 제어할 것은 무엇이며, 어떻게 표시 할건가?
㉣ 알람 상태를 제어할 조건들에는 무엇이 있는가
㉤ 어떤 데이터를 화면에 표시 할건가?
㉥ 시스템의 유지 보수와 성능 감시를 위해 기록될 데이터는 무엇인가?

44. 데이터베이스와 그 특징에 알맞게 연결하시오

실시간 접근성 ㉠	㉮ 여러 사용자가 동시에 원하는 데이터 공유 가능
계속적인 진화 ㉡	㉯ 사용자가 요구하는 데이터 내용에 따라 참조
동시 공유 ㉢	㉰ 사용자의 질의에 대해 즉시 처리해 응답
내용에 의한 참조 ㉣	㉱ 삽입, 삭제, 갱신을 통해 최근의 데이터를 유지

45. 데이터의 종류에 대해 옳지 않은 것은?

① 저장 데이터 ② 공용 데이터 ③ 운영 데이터 ④ 출력 데이터

46. 다음 그림을 보고 알맞은 HMI 화면의 종류를 고르시오.

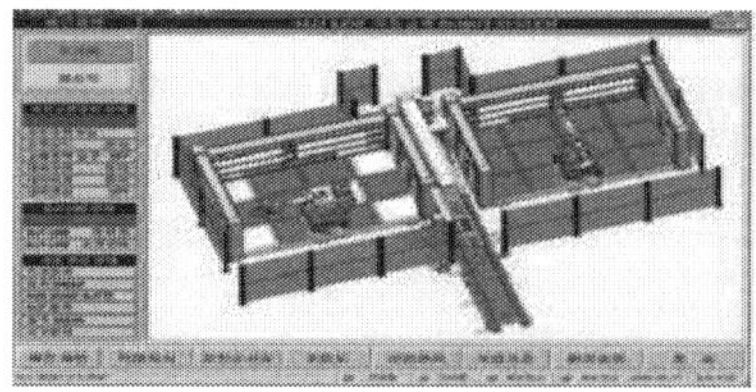
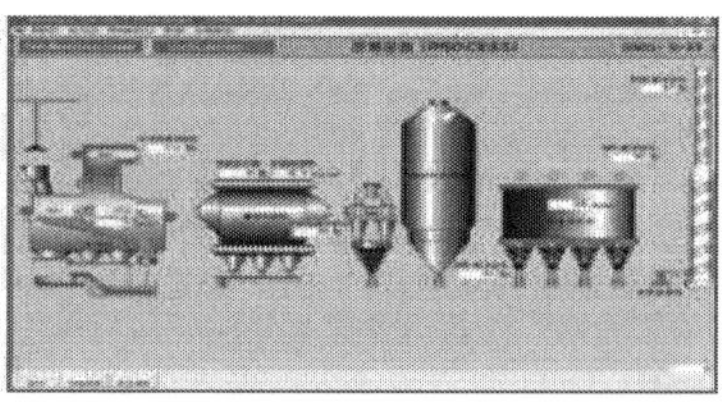

① 공정 모니터링 화면　　② 데이터 조회 화면
③ 수동 조작화면　　　　④ 트렌드 화면

47. HMI 화면 구성요소를 3가지 이상 쓰시오. (　　　　　　　　　　)

48. 데이터 표시계로는 메시지는 표시할 수 없다. (O / X)

49. 화면 디자인을 스케치할 때 알맞지 **않은** 것은?
① 설비의 외형 및 배치 상태의 동작 상태에 따라 그래픽으로도 같이 표현해 주는 것이 좋다.
② 실제 화면의 크기를 생각하여 구성요소의 크기를 결정하고 한곳에 집중되어 설치하는 것이 좋다.
③ 설비를 작동시키기 위해 필요한 버튼의 종류와 개수를 파악하고 화면상에 배치 위치를 결정한다.
④센서 신호의 On/Off 상태를 나타내는 램프와 로드셀의 중량값을 표시하기 위한 계기의 배치 위치를 정한다.
⑤ 움직이는 설비의 경우 설비의 동작 상태에 따라 그래픽으로도 같이 표현을 해주는 것이 좋다.

50. 다음 그림에 나와 있는 HMI의 화면 구성요소들을 **모두** 고르시오.

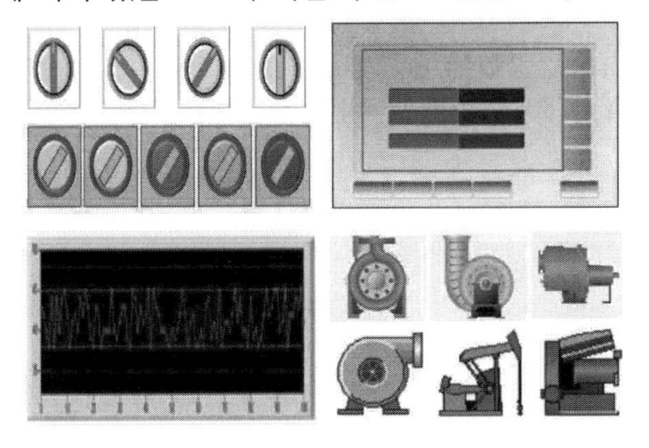

1. 일반버튼 2. 다중상태 버튼 3. 설정값 버튼 4. 램프 5. 계기
6. 트랜드 그래프 7. 데이터 표시계 8. 상태표시 요소

51. 다음 중 HMI의 구성요소 중 하나인 설정값 버튼에 대한 설명으로 올바른 것은?
① 가장 일반적인 버튼으로 속성에 따라 여러 가지 동작모드가 있다.
② IO의 ON/OFF 상태를 표시하기 위한 것으로 켜질 때와 꺼질 때의 이미지가 다르다.
③ 특정 범위의 아날로그 값을 숫자로 표시하는 것보다 값의 범위를 계기판 형태로 나타낸 것이다.
④ 설정값 버튼의 종류에는 상수 설정값 버튼과 증감 버튼, 다중상태 버튼이 있다.
⑤ 상수 설정값 버튼은 값을 직접 입력할수 있고 누르면 새로운 값을 입력할 수 있도록 숫자 키패드가 나타나는 형태로 되어있다.

52. HMI화면의 종류의 설명으로 옳지 않은 것은?
① 설비의 구성도 및 전체 레이아웃을 표시하여 모니터링 할 수 있는 화면
② 생산량 및 각종 측정데이터 값을 시간에 따른 그래프로 나타내어 전체흐름을 분석할 수 있는 화면
③ 생산량, 불량개수, 측정데이터 등 데이터베이스에 저장된 자료를 조회할 수 있는 화면
④ 각각의 요소를 구동 및 제어하여 조작할 수 있는 화면
⑤ 만들어진 창에 그리기 도구를 이용하여 원하는 구성요소를 추가할 수 있는 화면

53. HMI 화면배치에 대한 설명으로 아닌 것은?
① HMI 화면은 설비전체의 종합적 정보를 사용자가 알아보기 쉽고 조작이 편리하게 구성되어야 한다.
② 간단한 것은 단일 화면상에 모든 정보를 표시할 수 있는 반면 복잡한 설비는 여러개의 페이지로 나누어 화면을 구성할 필요가 있다.
③ 메인 화면에는 사용자가 보기 편하도록 편리하며 화려한 디자인의 구성요소를 설치한다.
④ 여러 개의 페이지로 구성된 경우 페이지간의 전환을 쉽게 할 수 있도록 전환 버튼이 배치 되는 것도 중요하다.
⑤ HMI는 연결된 설비의 규모 및 IO개수 등 필요한 정보의 수에 따라 표시할 정보량이 정해진다.

54. 다음 그림의 명칭은? (   )

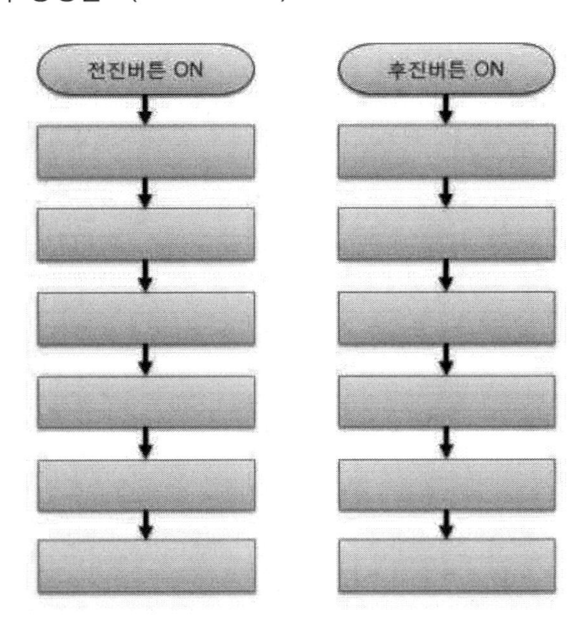

55. 실습할 때 안정 및 유의사항으로 옳지 않은 것은?
① 실험대상물이 파손되지 않도록 조심해서 다룬다.
② 케이블을 연결하거나 분리할 때에는 메인 전원이 차단된 상태에서 한다.
③ 산업보험법규를 준수한다.
④ 실습실 내부의 실습 규정에 따른다.
⑤ 실린더 작동시에는 협착사고가 나지 않도록 안전사고에 유의한다.

56. 데이터의 종류에 대해 올바르게 짝지어진 것은?
① 통합 데이터 - 컴퓨터의 저장매체에 저장하여 관리하는 데이터를 의미한다.
② 저장 데이터 - 중복을 베제하나, 경우에 따라 중복을 허용하는 데이터이다.
③ 운영 데이터 - 어느 하나의 응용프로그램이나 응용 시스템을 위한 데이터이다.
④ 공용 데이터 - 그 조직의 기능을 수행하는 데 꼭 필요한 데이터를 의미한다.
⑤ 공용 데이터 - 그 조직의 여러 사용자와 시스템들이 다른 목적으로 데이터를 공동으로 이용할 수 있게 한다.

57. HMI 설계시 고려사항으로 아닌 것은?

① 어떻게 하면 운전자가 힘들고 헷갈리게 만들 것인가?

② 페이지 운용을 어떻게 할 것인가?

③ 알람 상태를 감시할 조건들에는 어떤 것들이 있는가?

④ 필요하다면 시스템의 보안 설정은 어떻게 할 것인가?

⑤ 시스템의 유지 보수와 성능 감시를 위해서 기록되어야 할 데이터는 어떤 것들이 있는가?

연습문제 5 (HMI)

1. HMI 디자인 순서를 맞게 배열하시오. (   )-(   )-(   )-(   )-(   )

가. 화면 디자인   나. 속성값 지정   다. 기본 창 만들기
라. 미리보기 및 시뮬레이션   마. 스크립트 작성

2. 디버깅이란 무엇인지 서술하시오.

3. HMI의 이더넷 케이블의 연결 방법 두 가지를 쓰시오.

4. HMI 개발 소프트웨어 화면의 구성이 아닌 것을 고르시오.
① 속성편집   ② 디자인 창   ③ 편집 도구   ④ 모니터링 창

5. HMI 전용 소프트웨어 디버깅에는 I/O 디버깅이 있다.
이 디버깅은 보통 I/O 체크라고도 하며 실제 설비의 I/O 주소와 HMI 작성 시 각 구성요소에 연결한 I/O가 실제로 일치하는지 체크 하는 것이다.
(O / X)

6. HMI의 통신 방법은 이더넷 통신밖에 없다. (O / X)

7. 다음을 알맞은 설명에 선으로 연결하시오.

(1) 다이렉트 케이블   (가) 순방향 연결 방법

(나) 역방향 연결 방법

(2) 크로스 케이블   (다) PC와 허브를 연결하는데 사용

(라) 허브와 허브, 허브와 라우터를 연결하는데 사용

8. 노이즈에 의한 문제를 예방하기 위해서 지켜야 할 사항을 모두 고르시오.
① 통신용 케이블은 Shield 선을 사용한다.
② 고압전선과 인버터 케이블은 노이즈를 예방해주므로 가능한 가까이에 설치한다.
③ RS422 통신의 경우 종단 저항을 부착한다.
④ 전원 케이블과 신호 케이블은 연결시킨다.

9. HMI 전용 소프트웨어에 의한 개발에 대한 설명으로 옳지 않은 것을 고르세요.
① 프로그래밍 언어로 직접 개발하는 것은 많은 시간과 노력이 필요하기에 HMI 전용 소프트웨어를 사용한다.
② HMI를 쉽고 빠르게 개발하기 위한 전용 소프트웨어를 이용하여 개발하는 방법이다.
③ 화면 디스플레이를 위한 다양한 그래픽 라이브러리를 제공하고 있다.
④ 개발이 쉽지만 프로그램 구현이 어렵다.

10. PLC 전용 HMI 개발소프트웨어를 이용하면 고급언어에 대한 기본 지식이 있어야 쉽게 구현 가능하다. (O / X)

11. PLC 전용 도구에 의한 개발에 대한 설명으로 옳지 않은 것을 고르시오.
① PLC 제조사에서는 전용 HMI 개발도구를 별도로 제공하고 있다.
② PLC 제조사 제품들은 디스플레이 및 프로그램 설치를 위한 터치판넬과 화면개발용 소프트웨어로 구성되어 있다.
③ 해당 PLC에만 사용된다는 제약이 있다.
④ PLC 프로그램과 연동 및 호환성이 뛰어나며 사용하기 쉽다는 장점이 있기 때문에 실제로 가장 많이 사용된다.

12. HMI 프로그램 디자인 순서를 알맞게 배치하시오.
( )

㉠ 화면 디자인 ㉡ 기본 창 만들기 ㉢ 스크립트 작성
㉣ 속성값 지정 ㉤ 미리보기 및 시뮬레이션

13. 개발된 HMI를 시스템에 설치하기 위해서 필요한 요소를 모두 고르시오.
① 소프트웨어 설치파일 또는 실행파일
② 통신케이블
③ 소프트웨어를 설치할 하드웨어 단말기
④ PLC 연결을 위한 별도의 허브

14. PLC전용 터치패널의 경우 프로그램을 다운로더 하기위한 USB 케이블 또는 메모리카드가 필요한 경우가 있다. (O / X)

15. HMI 시스템은 사용하는 통신방식에 따른 통신포트 및 디바이스를 설정해야 하는데 이때, 일반적으로 가장 많이 사용하는 통신방식을 2가지 쓰시오.

16. 다음 빈칸에 공통으로 들어갈 단어를 쓰시오. (   )
통신이 되지 않는 원인은 크게 통신케이블에 이상이 있거나 소프트웨어적으로 (   ) 및 설정이 맞지 않는 경우 또는 해당기기의 (   )가 고장 난 경우이다.

17. HMI 개발 소프트웨어의 종류의 중 아닌 것을 고르시오.
① HMI 전용 소프트웨어에 의한 개발
② PLC 전용도구에 의한 개발
③ 고급 프로그래밍 언어에 의한 개발
④ HMI 전용 프로그래밍에 의한 개발

18. HMI 프로그램 작성의 순서 중 디자인 순서로 바르게 나열해 보시오.
가. 스크립트 작성
나. 속성값 지정
다. 화면 디자인
라. 미리보기 및 시뮬레이션
마. 기본 창 만들기

19. 디버깅이란 무엇인지 서술하시오.

20. HMI 전용 소프트웨어에서 디버깅의 방법 두가지를 쓰이오.

21. 개발된 HMI를 시스템에 설치하기 위해서 필요한 요소로 <u>아닌</u> 것을 고르시오.

① 통신케이블
② 소프트웨어를 설치파일 또는 실행파일
③ 소프트웨어를 설치한 하드웨어 단말기
④ 소프트웨어 소스파일

22. HMI 시스템은 통신을 통하여 기계장비와 데이터를 주고 받음으로서 정보를 표시하고 조작할 수 있는데 여기서 쓰이는 통신 방법 두가지를 쓰시오.

23. HMI가 정상적으로 작동되지 않는 가장 큰 원인은 무엇인지 고르시오.

① 프로그래밍을 잘못 짜서.
② 시스템의 고장
③ 전원인가 문제
④ 통신이 제대로 이루어지지 않아서

24. 다음 그림의 케이블의 연결 방식을 무엇인가?

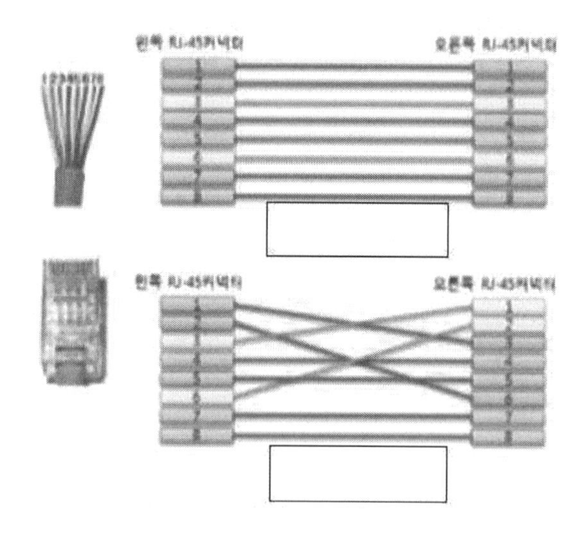

25. 다음 보기를 읽고 빈칸에 들어갈 알맞은 단어를 써넣으시오.

<보기>

디버깅이란 Basic, C와 같은 고급 프로그래밍 언어로 작성된 원시프로그램을 컴퓨터가 이해할 수 있는 기계어로 된 목적프로그램으로 번역하는 과정에서 ____ 가 있는지 검사하고 ____ 발생 시 ____ 를 찾아 수정하는 작업을 말한다.

26. 고급언어 컴파일러에서의 디버깅의 방법을 2가지 이상 서술하시오.

27. HMI 전용 소프트웨어에서 디버깅의 방법을 2가지 이상 서술하시오.

28. HMI 설치용 하드웨어 단말기 종류를 2가지 이상 서술하시오.

29. HMI의 통신설정 방식을 2가지 이상 서술하시오.

30. 이더넷 케이블의 연결 방법을 2가지 이상 서술하시오.

31. 다음 보기를 보고 HMI 프로그램 작성 중 전반적인 디자인 순서대로 기호를 차례대로 나열하시오.

가) 미리보기 및 시뮬레이션, 나) 화면 디자인, 다) 속성값 지성,
라) 스크립트 작성, 마) 기본 창 만들기

32. HMI와 기계장비간의 통신방식에 따라서 필요한 통신케이블의 종류를 2가지 이상 서술하시오.

33. HMI 프로그램 작성 중 디자인 순서를 알맞게 배열하시오.

㉮ 속성값 지정 ㉯ 미리보기 및 시뮬레이션 ㉰ 기본 창 만들기
㉱ 화면 디자인 ㉲ 스크립트 작성

34. Basic, C와 같은 고급 프로그래밍 언어로 작성된 원시프로그램을 컴퓨터가 이해할 수 있는 기계어로 된 목적프로그램으로 번역하는 과정에서 오류가 있는지 검사하고 오류 발생 시 오류를 찾아 수정하는 작업은 무엇인가?

35. HMI 설치용 하드웨어 단말기 종류 2가지를 적으시오.

36. 빈칸에 들어갈 말을 적으시오.
HMI 시스템은 통신을 통하여 기계장비와 데이터를 주고 받음으로서 정보를 표시하고 조작할 수있는데 그 중 일반적으로 가장 많이 사용하는 방식이 ( )과 ( )이다.

37. 다음 ㉮에 들어갈 말은 무엇인가?

HMI가 정상적으로 작동되지 않는 가장 큰 원인은 (㉮)이 제대로 이루어지지 않은 경우이다. 따라서 (㉮)과 관련된 부분이 정상적으로 되어 있는지 확인하는 것이 우선이다. (㉮)이 되지 않는 원인은 크게 통신케이블에 이상이 있거나 소프트웨어적으로 통신포트 및 설정이 맞지 않는 경우 또는 해당기기의 통신포트가 고장 난 경우이다.

38. 빈칸에 들어갈 말을 적으시오.

이더넷 케이블의 연결 방법에는 ( )과 ( )이 있으며, 1,2,3,6번 케이블만 사용한다.

39. 빈칸에 들어갈 말을 적으시오.

통신 설정과 케이블 연결 등에 이상이 없는 상태에서 데이터 송수신이 중간중간 끊어지거나 잘못된 데이터가 들어오는 등의 문제가 발생하면 ( ) 를 의심해 봐야 한다. 특히 시리얼 통신의 경우 주변의 전력선 및 전자파 등으로 인하여 노이즈의 영향을 많이 받게 된다.

40. 다음 통신테스트의 순서를 알맞게 배열하시오.

㉮ 양쪽의 PC 모두에서 통신 테스트 프로그램을 실행한다.
㉯ 2대의 PC 각각에 통신테스트용 프로그램을 설치한다.
㉰ 통신케이블을 이용하여 두 PC의 각 시리얼 포트를 연결한다.

41. HMI 개발 소프트웨어의 종류로 올바르지 않는 것은?

① 고급 프로그래밍 언어에 의한 개발
② HMI 전용 소프트웨어에 의한 개발
③ HMI 전용 하드웨어에 의한 개발
④ PLC 전용도구에 의한 개발

42. HMI 프로그램 작성의 디자인 순서를 올바르게 배열하시오

1.화면디자인 2.속성값지정 3.기본창만들기 4.미리보기 및 시뮬레이션
5.스크립트 작성

43. 빈칸에 들어갈말을 올바르게 써 넣으시오.
( )이란 Basic, C와 같은 ( )언어로 작성된 원시프로그램을 컴퓨터가 이해할 수 있는 ( )로 된 목적프로그램으로 변역하는 과정에서 오류가 있는지 검사하고 오류 발생시 오류를 찾아 수정하는 작업을 말한다.

44. HMI 프로그램 설치 구성으로 올바르지 않는 것은?
① 소프트웨어 설치파일 또는 실행파일
② 통신케이블
③ 소프트웨어를 설치할 하드웨어 단말기
④ 하드웨어 기종에 따른 통신 드라이버 설치

45. 빈칸에 들어갈 말을 올바르게 써 넣으시오.
HMI 시스템은 통신을 통하여 ( ) 데이터를 주고 받음으로서 정보를 표시하고 조작할 수 있다. 따라서 사용하는 통신방식에 따른 ( ) 및 디바이스를 설정해야한다. 일반적으로 가장 많이 사용하는 방식이과 ( ) 이더넷 통신이다.

46. 이더넷 통신에 관련 없는 말을 고르시오.
① 최근에 많이 사용되고 있다.
② 모든 PC에 기본적으로 내장되어 있기 때문에 부가장치 없이 사용할 수 있다.
③ 이더넷통신을 위해서는 장비에 고유의 주소(IP)를 부여하여야 하고 서로 약속된 포트번호에 의해서 연결을 한다.
④ PLC 및 이더넷 통신을 지원하는 장비는 고유의 설정 방법을 가지고 있으므로 해당매뉴얼을 참조하여 설정한다.
⑤ 해당 제품의 디바이스드라이버를 설치 하여 윈도우에서 COM 포트를 인식할 수 있도록 하여야 한다

47. 시리얼통신과 관련된 문장이다. 맞으면 O ,틀리면 X를 적으시오. ( )
PC의 메인보드에 RS232C 시리얼 통신포트가 기본적으로 내장된 경우 그것을 사용하고 없는 경우 별도의 멀티포트 카드를 설치하거나 또는 USB-RS442 컨버터를 이용하여 사용할 수 있다.

48. HMI 프로그램 테스트 과정인 노이즈체크와 관련이 없는 것은?
① 통신용 케이블은 Shield선을 사용한다.
② 전원 케이블과 신호 케이블은 분리시킨다.
③ 각종 케이블의 Shield 선을 접지한다.
④ 특히 고압전선과 인버터 케이블은 노이즈를 심하게 발생시키므로 가능한한 멀리 떨어지게 분리한다.
⑤ RS232C통신의 경우 종단저항을 부착한다.

49. HMI 개발 소프트웨어의 종류 3가지를 쓰세요.

50. Basic, C와 같은 고급 프로그래밍 언어로 작성된 원시 프로그램을 컴퓨터가 이해할 수 있는 기계어로 된 목적프 로그램으로 번역하는 과정에서 오류가 있는지 검사하고 오류 발생시 오류를 찾아 수정하는 작업은 무엇인가?

51. 이더넷 케이블의 연결방법에서 몇 번 케이블을 사용하지 않나요?
① 1번 ② 2번 ③ 3번 ④ 4번

52. 노이즈에 의한 문제를 예방하기 위해서는 다음 사항을 지켜줘야 한다. 그 중 옳지 않은 것은?
① 통신용 케이블은 Shied 선을 사용한다.
② 전원 케이블과 신호 케이블을 붙여놓는다.
③ 각종 케이블의 Shied 선을 접지시킨다.
④ 특히 고압전선과 인버터 케이블은 노이즈를 심하게 발생시키므로 가능한 한 멀리 떨어지게 분리한다.

53. HMI 전용 소프트웨어에서 디버깅을 할 때 2가지 종류를 적으시오.

54. HMI 디자인의 순서를 차례대로 나열하시오. (→ → → →)
ㄱ. 화면 디자인 ㄴ. 기본 창 만들기 ㄷ. 스크립트 작성
ㄹ. 미리보기 및 시뮬레이션 ㅁ. 속성값 지정

55. 소프트웨어를 설치할 하드웨어 단말기의 종류가 아닌 것은?
① Desk Top PC　② Panel PC　③ 전용 Touch Panel　④ CD

56. 이더넷 케이블 점검방법 2가지를 적으세요.

57. C언어는 HMI 전용 소프트웨어에 의한 개발방법 중 하나이다.
(O / X)

58. HMI 프로그램 작성 순서를 올바르게 배열하시오.

㉠ 화면 디자인　㉡ 미리보기 및 시뮬레이션　㉢ 스크립트 작성
㉣ 기본 창 만들기　㉤ 속성값 지정

59. 디버깅에 대해 간단히 서술하시오

60. 디버깅 방법이 아닌 것을 고르시오
① 한 줄씩 실행하는 방법
② 스크립트 디버깅
③ 소스 코드를 이용한 방법
④ I/O 디버깅

61. HMI 프로그램 설치 과정 중 옳지 않게 짝지어진 것을 고르시오.
① 프로그램 설치구성 - 소프트웨어 실행파일
② 프로그램 설치 - PC기반 HMI 설치
③ 프로그램 설치구성 - 소프트웨어를 설치할 하드웨어 단말기
④ 통신설정 - 통신케이블

62. HMI 프로그램 설치 과정에 대한 옳은 설명을 고르시오
① 모든 시리얼 포트는 디바이스 드라이버를 설치하지 않아도 된다
② PLC 전용 도구의 HMI를 설치하면 PC에서 바로 구동된다
③ 이더넷 통신은 모든 PC에 기본적으로 내장되어 있다
④ 한가지 프로그램으로 모든 HMI를 사용할 수 있다

63. 통신설정 및 테스트에 대한 설명으로 옳지 않은 것은?
① 무조건 테스트용 버튼을 만들어야 한다
② HMI에는 연결된 장치의 통신 포트를 설정하는 화면이 있다
③ 통신과 관련된 부분이 정상적으로 되어있는지 확인하는 것이다
④ 통신속도 및 기타조건이 맞는지 확인해야 한다

64. 다이렉트 케이블에 대한 설명으로 옳은 것은?
① PC와 허브를 연결하는데 사용하는 가장 일반적인 케이블이다
② 허브와 허브, 허브와 라우터를 연결하는데도 사용된다
③ 역방향 연결방법으로서 서로 같은 장비를 연결할 때 사용하는 방법이다
④ 허브가 없을 때 사용된다

65. 다음은 일반적인 HMI 소프트웨어를 개발하는 방법이다.
A, B 중 틀리게 말한 것을 고르고, 올바르게 고치시오.

A : 고급 프로그래밍 언어로 할 수 있는데 우리가 배운 C언어나 Basic 같은 걸로 할 수 있는데 하나부터 열까지 모두 직접 코딩해야 해서 일반인이 하기에는 복잡해.

B : HMI 전용 소프트웨어로도 개발할 수 있는데 이는 PLC랑 호환될 수 없기 때문에 산업현장에서는 주로 그 사의 PLC 전용도구를 이용하는 경우가 대다수야.

66. 다음 HMI 디자인 순서를 바르게 배열 하시오.

㉠ 스크립트 작성하기
㉡ 화면 디자인 하기
㉢ 시뮬레이션 및 검토하기
㉣ 기본 창 만들기
㉤ 속성값 지정하기

67. 프로그래밍시 오류를 찾아내기 위해 디버깅을 실시한다.
HMI 환경에서도 디버깅시 다음 중 알맞지 않은 것은?
① 스크립트 디버깅 : HMI 전용 프로그램에서 스크립트를 짜서 디버깅할 때 사용하며 HMI 전용 프로그램 내에서 디버깅을 하는 방법이다.
② 브레이크 포인트 이용 : 소스코드가 길어 복잡할 때 딱 디버깅 하고 싶은 부분에서부터 한 줄씩 실행할 수 있다.
③ I/O 디버깅 : 보통 I/O 체크라고도 하며 각 구성 요소와 I/O주소가 알맞게 연결되었는지 확인한다.
④ 한 줄씩 실행하는 방법 : 한 줄씩 순차적으로 실행해 가면서 오류를 탐색한다.

68. HMI를 개발 후 시스템에 설치시 필요한 요소 중에 틀린 것은?
① 소프트웨어 설치파일/실행파일
② 하드웨어 단말기
③ 통신 포트 쉴드
④ 통신 케이블

69. 다음은 통신 방법에 대한 설명중 알맞지 않은 것은?
① 시리얼 통신의 종류에는 RS232C가 있는데 이 경우에 PC에 드라이버를 설치해 줘야 한다.
② 데스크탑 컴퓨터에는 모두 RS232C 포트가 있기 때문에 RS232C 통신이 많이 쓰인다.
③ 이더넷 통신을 하기 위해서는 고유의 IP 주소를 할당해 통신하여야 한다.
④ 이더넷 포트는 보통 대부분의 컴퓨터가 내장해서 별도의 장치가 필요 없다.

70. HMI 통신에 문제가 있을 때 우리는 여러 가지를 점검한다.
이 중 이더넷 케이블의 결선 상태를 점검 중에 케이블 양쪽 포트가 다음과 같이 엇갈려서 결선 되어 있다.
엇갈려서 결선하는 방법을 크로스 케이블이라 한다.
양쪽 단자를 엇갈려서 결선하는 이유는 무엇인가?

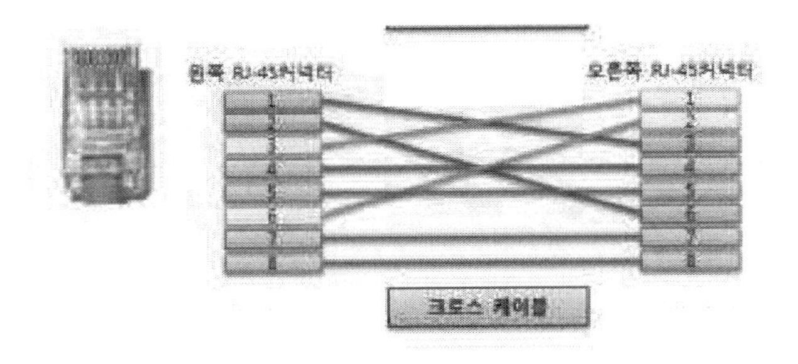

71. RS232C 통신 케이블을 점검할 때, 양쪽 배선의 Tx, Rx를 다이렉트로 결선하고 SG(GND) 선까지 연결 시 기본적인 통신이 가능하지만 장비에 따라서 RS,CS 등의 신호를 사용한다. (O , X)

72. 데이터가 송수신 될 때 중간에 소실되거나 잘못된 데이터가 오고가는 경우 노이즈를 의심해봐야 하는데 노이즈를 줄이는 방법에 알맞은 것은?
① 통신용 케이블은 Shield 선 사용
② 전원 케이블과 묶어서 사용
③ 고압전선은 22.9kV 이하의 경우는 큰 상관이 없다.
④ RS422의 경우 횡단저항을 부착한다.

연습문제 6 (PLC, HMI)

1. SCADA가 무엇의 약자인지 서술하시오

2. 다음은 HMI의 기본 기능들이다. 이들 중 알맞지 않은 것은?
① 원격장치의 경보 상태에 따라 미리 규정된 동작을 하는 감시시스템의 기능인 경보 기능
② 원격외부 장치를 선택적으로 수동, 자동 또는 수. 자동 복합으로 동작하는 감시 제어 기능
③ 원격 장치의 상태정보를 수신, 표시. 기록하는 감시 시스템의 지시.표시 기능
④ 디지털 감시 정보를 수신, 합산하여 표시.기록에 사용할 수 있도록 한다.

3. HMI 의 개념을 "사람"과 "기계" 라는 단어를 포함하여 서술하시오.

4. HMI의 주요기능들중 3가지를 서술하시오.

5. 다음 표를 보고 알맞은 말을 써넣으시오.

분야	구분
	철강, 석유화학
수처리 분야	정수시설, 오폐수 처리
전력분야	발전소, 발전설비
	로봇 및 자동화 기기, Mobile 기기, 소각설비
빌딩자동화	IBS, 주차설비
	시멘트, 보일러설비, 자동차, 통신, 우주항공, 가전

6. PLC의 약자를 올바르게 나타낸 것을 고르시오.
①Program Logic Controller
②Programmable Logic Controller
③Process Logic Controller
④Programmable Local Controller

7. 다음 보기에서 알맞은 단어를 찾아 넣으시오.

[보기]

전원 모듈 , 이더넷 통신 모듈 , CPU 모듈 ,광통신 모듈.

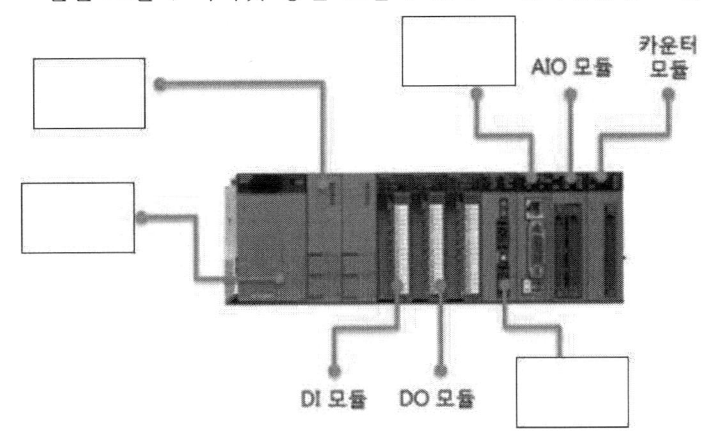

8. 다음은 HMI의 통신방법 설정중 TYPE의 각항목의 뜻을 적어둔 것이다.
이들 중 알맞지 않은 것은?
① Discrete : On/Off 로 표시할 수 있는 디지털 I/O 값을 나타낸다.
② Integer : 숫자로 표시할 수 있는 아날로그 I/O 값으로서 실수 단위까지만 표시할 수 있는 것
③ Real : 값을 숫자로 표시할 수 있는 아날로그 I/O로서 소수점까지 표시할 수 있는 것.
④ Message : 알람내용 등 문자열로서 표시할 수 있는 것

9. 다음은 HMI의 제어구성 체계 중 데이터베이스의 관한 것이다.
알맞은 단어를 써넣으시오.

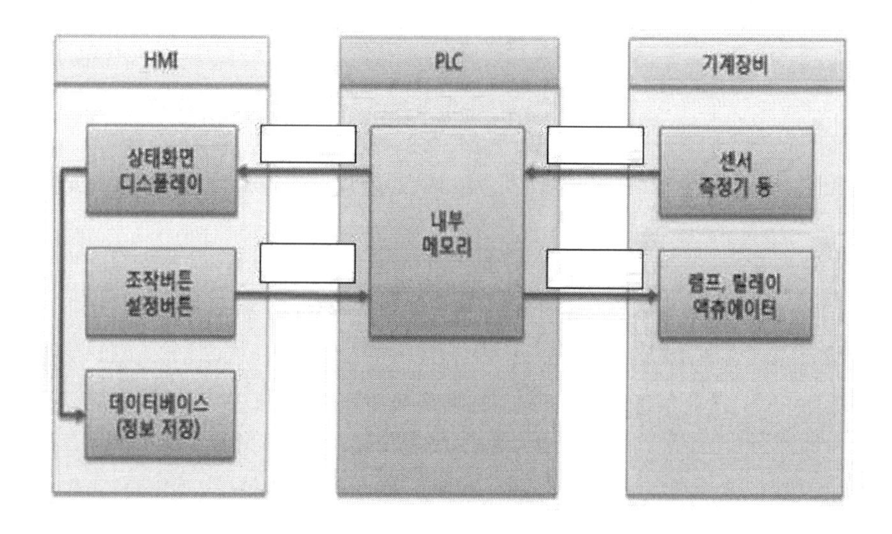

10. 표준 설계안 중 파스칼 표기법에 대해서 간단히 서술하시오.

11. 다음 설명하는 글이 HMI화면 구성요소 중 무엇을 설명하는가?

값의 현재값과 최소/최대값, 하한/상한값 등을 그래프 형태 표시하는 요소이며 값의 변화추이를 쉽게 알 수 있다.

12. 다음 중 데이터베이스의 특징들 중 올바르지 않은 것은?

① 내용에 의한 참조
② 계속적인 진화
③ 실시간 공유
④ 데이터 논리적 독립성

13. 다음 중 HMI의 적용 분야의 세부사항이 아닌 것은?
① 전력분야
② 빌딩자동화
③ 리얼리티 제어
④ 플랜트 자동화
⑤ 수처리 분야

14. 기계장비의 종류로 아닌 것은?
① PLC ② 인코더 ③ 센서류 ④ 로드셀 ⑤ IBS

15. HMI의 특징으로 옳은 것은?
① 우수한 사용환경 ② 보안형 시스템 ③ 밀집된 시스템 구성
④ 신속한 성능 향상 ⑤ 신속한 정보처리

16. HMI의 시스템 구성이 아닌 것은?
① STAND-ALONE 시스템 ② 분산 시스템
③ 다중화 시스템 ④ LINE 이중화 ⑤ 서버 이중화

17. HMI의 적용 분야 시스템이 아닌 것은?
① 공정 자동화 시스템
② 공장 자동화 시스템
③ 빌딩 자동화 시스템
④ 사무 자동화 시스템
⑤ 원격 감시/제어 시스템

18. 다음 중 통신 방법이 아닌 것은?
① RS232C ② RS422 ③ RS485 ④ 병렬보드 사용 ⑤ Ethernet

19. HMI의 장비는 일반적으로 기구부와 제어부로 나누어 진다. (O , X)

20. 릴레이와 PLC제어의 비교가 올바르지 못한 것은?

분야	Relay 제어반	PLC
① 제어방식	Hard Logic	Soft Logic
② 제어기능	Relay(직렬, 병렬접점) Timer, Counter (기능은 한정적이고 규모에 따라 대형화)	Relay(AND, OR, NOT) Up-down counter, Register(고기능, 대규모의 제어를 소형으로 실현
③ 제어요소	유접점	무접점
④ 시스템의 특징	독립된 제어장치	시스템의 확장이 용이 컴퓨터와의 연결가능
⑤ 보전성	고신뢰성, 장수명으로 유지보수 비용이 적다.	보수 및 수리공사가 오래 걸린다.

21. HMI의 제어 구성 체계를 2가지 서술하시오.

22. HMI의 구성 요소는 그래픽, 데이터베이스 2가지로 구성되어 있다.
(O , X)

23. 데이터베이스의 특징을 2가지 쓰시오.

24. 데이터의 종류로 틀린 것은?
① 개별 데이터
② 저장 데이터
③ 운영 데이터
④ 공용 데이터
⑤ 통합 데이터

25. 집중 원격감시 제어시스템 또는 감시 제어데이터 수집 시스템은?

26. 예전에는 SCADA는 상위, HMI는 하위 개념을 가지고 있었으나 최근에는 HMI가 SCADA기능을 가지게 되고 있기 때문에 동일시 되는 추세이다.
(0 , X)

27. 제어 장치의 일종으로 프로그램 제어에 가장 많이 이용되고 있는 장비는?
( )

28. 각종 물리량이나 현상을 측정 또는 계량하기 위한 기계 기구의 총칭은?
① 제어 장치 ② 감시 장치 ③ 검출 장치
④ 식별 장치 ⑤ 계측 장치

29. 이중화 시스템에 대해 옳은 것은?
① 고도의 신뢰성이 요구되는 시스템에 사용
② 제어 및 감시 대상의 규모가 클 때 사용
③ 신속한 처리를 하기 위해 사용
④ 장비 고장을 고려하여 만든 시스템
⑤ 호환성이 높은 장비를 쓸 때 주로 사용

30. 공장 자동화 시스템 중 다른 것은?
① 생산관제 시스템 ② 생산 공정 감시/제어 시스템
③ 자동창고 시스템 ④ 계측기 시스템 ⑤ 방재 시스템

31. 프로그램 코딩 표기법에 대해 옳은 것은?
① 헝가리안 표기법 ② 그리스식 표기법 ③ 유럽식 표기법
④ 테슬라식 표기법 ⑤ 남아메리카식 표기법

32. 데이터베이스의 특징으로 옳지 않은 것은?
①실시간 접근성
②정확한 데이터를 동적으로 유지
③내용에 의한 참조
④데이터 논리적 독립성
⑤데이터 관리 및 검사

33. HMI 화면 배치에 대해 옳지 않은 것은?
① 사용자가 알아보기 쉽고 조작이 편리할 것
② 주 화면에 중요한 버튼을 배치할 것
③ 페이지 전환이 쉽도록 중요하게 배치할 것
④ 알아보기 쉽게 주로 왼쪽에 생산정보 표시를 할 것
⑤ 복잡한 설비는 여러 개의 페이지로 나누어 구성

34. 제어 블록도 작성법으로 옳지 않은 것은?
① 각 구성요소의 이름을 기입하고 나열한다.
② 서로간의 연결된 경로를 선으로 이어준다.
③ I/O 종류에 따라 연결선 부근에 IO이름을 기입
④ HMI 개발에 있어서 중요한 기준이 된다.
⑤ 제어 블록도는 주로 단일 시스템 연결 상태를 파악 가능하다

35. 다품종 소량생산 체제에 따른 제어 시스템의 변경에 많은 시간과 비용이 요구되는 문제를 해결하기 위해 개발된 제어시스템은?

36. HMI의 특징으로 옳은 것은?
① 유연한 사용환경 ② 편리한 성능 향상
③ 개방형 시스템 ④ 신속한 시스템 구성

37. 일반적으로 장비는 (   )와 (   )로 나누어진다.

38. HMI 설계시 고려사항을 3가지 이상 기술하시오.

39. 최초에 사용된 단어를 제외한 첫 번째 문자가 대문자이며 나머지는 소문자인 이름 표기법은?
① 헝가리안 표기법 ② 카멜 표기법
③ 파스칼 표기법 ④ 외래어 표기법

40. 다음중 HMI 화면의 종류가 아닌 것은?
① 공정모니터링 화면 ② 트랜드 화면
③ 자동조작 화면 ④ 데이터 조회 화면

41. SCADA 시스템은 통신경로상의 아날로그 또는 디지털 신호를 사용하여 원격장치의 상태정보 데이터를 원격소장치로 수집,수신,기록,표시하여 중앙 제어 시스템이 원격 장치를 감시 제어하는 시스템을 말하며 발전•송배전시설, 석유화학 플랜트, 제철공정 시설, 공장 자동화 시설 등 여러 종류의 원격지 시설 장치를 중앙 집중식으로 감시 제어하는 시스템이다. (O , X)

42. 계측 장치중 회전방향의 기계적 변위량을 디지털량에 변환하는 위치 센서를 총칭하는 것은?
① 란도셀 ② 엔코더 ③ 로드셀 ④ 센서류

43. 다음 HMI의 시스템중 고도의 신뢰성이 요구될 때 사용되는 시스템은?
① STANT-ALONE 시스템 ② 분산 시스템
③ 이중화 시스템 ④ 클라우드 시스템

44. 데이터베이스의 특징을 2가지 이상 기술하시오.

45. 최근에는 많은 HMI/SCADA 시스템이 이중화를 기본으로 제공하고 있다. 제공하는 이중화 시스템이 아닌 것은?
① 통신 이중화 ② 네트워크 이중화
③ 컴퓨터 이중화 ④ 빌딩 이중화

46. HMI의 특징에 대한 설명으로 옳지 않는 것은?
① 편리한 사용환경: 다양한 윈도우 OS 환경을 지원하도록 설계되어 외부의 시스템, 사용자 응용 프로그램, 상용 패키지들과 데이터를 주고 받을 수 있다.
② 개방형 시스템: 다양한 하드웨어를 위한 I/O 드라이버를 지원하며, OLE Automation을 이용한 프로그램 간의 데이터 교환 등을 지원한다.
③ 유연한 시스템 구성: 프로그램 환경에 맞추어 다양한 형태의 시스템을 구성할 수 있다.

④ 신속한 성능 향상: PC를 기반으로 설계되었기 때문에 PC의 하드웨어 성능 향상과 소프트웨어 신기술의 적용으로 시스템의 성능 향상이 이루어진다.

47. HMI의 적용 분야로 공장 자동화 시스템에 대해 3가지 이상 쓰시오.

48. 다음 그림을 보고 어떤 방법으로 시스템을 구성했는지 적고 간략히 서술하시오.

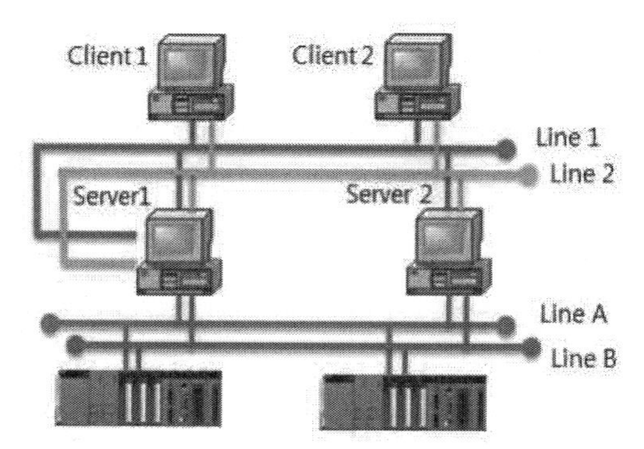

49. HMI를 설계할 때 고려해야 할 사항이 아닌 것은?
① 화면에 무슨 데이터를 표시할 것인가?
② 제어할 것은 무엇이며, 운전자가 제어를 할 수 있는 것인가?
③ 보안설정이 필요할 때 어떻게 설정할 것인가?
④ 시스템 데이터 공유가 쉽게 이뤄지는가?

50. 다음 문제는 HMI직렬통신 방법에 대한 것이다. 맞는 것에 O 틀린 것에 X를 쓰시오

(1) 가장 일반적으로 사용되는 방식으로서 보통 직렬통신의 RS-232C. RS-422, RS-485의 세 가지 표준 통신 방법을 따르고 있다. (　　)

(2) 대규모 시스템의 경우 여러개의 서버와 클라이언트를 이용하여 시스템의 부하를 분산하거나 이중화 할수 있다. 이때 네트워크 체계에 별도의 설정을 할 필요가 없어 편리하다. (　　)

51. HMI주요기능에 대해 옳지 않는 것은?

① 네트워크 연결, 이중화 시스템 지원

② 단순한 제어노드 관제로부터 고도 지능화된 제어 솔루션 기능

③ 강력한 프로그래밍 툴 지원

④ 인터넷과 맞물려 VDIEO로 발전

52. 다음 그림들은 HMI에서 대표적으로 많이 사용되는 화면으로 무슨 화면인지 올바른 곳으로 선을 이으시오.

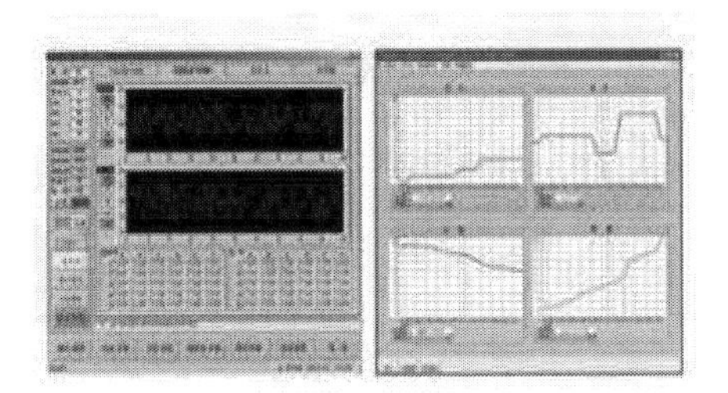

• 트랜드 화면

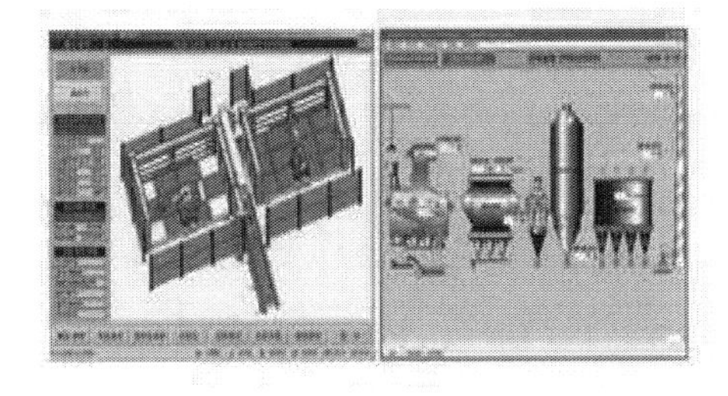

• 공정모니터링 화면

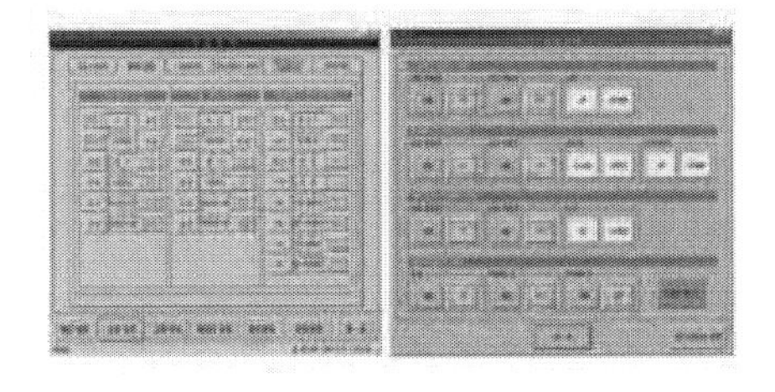

• 수동조작 화면

53. 다음은 I/O 리스트의 각 항목에 대한 것이다. □안에 들어갈 말을 간단히 답하시오.

(가) Member Tag (태그 명) : [ ] 장치의 이름을 정의한다.

(나) Type : Digital, Analog 등의 입출력 타입을 정의한다.

1) Discrete : On/Off 로 표시할 수 있는 [ ] 값을 나타낸다.

2) Integer : 숫자로 표시할 수 있는 아날로그 I/O 값으로서 [ ] 단위까지만 표시할 수 있는 것

3) Real : 값을 숫자로 표시할 수 있는 아날로그 I/O로서 [ ] 까지 표시할 수 있는 것.

4) Message : [ ] 등 문자열로서 표시할 수 있는 것.

54. 데이터베이스의 데이터 종류에 대해 3가지 이상 적으시오.

55. HMI 기능설계 순서에 알맞은 것을 고르시오

① 드라이버 및 데이터베이스 구성→그래픽 생성→추가기능 작업→기본적인 시스템 구성

② 추가기능 작업→기본적인 시스템 구성→드라이버 및 데이터베이스 구성→그래픽 생성

③ 기본적인 시스템 구성→드라이버 및 데이터베이스 구성→그래픽 생성→추가기능 작업

④ 기본적인 시스템 구성→그래픽 생성→드라이버 및 데이터베이스 구성→추가기능 작업

56. PLC를 구성하고 있는 계측장치에 3가지를 적으시오.

57. HMI의 표준 설계안에 대해 옳지 않는 것을 고르시오
① 설계할 때 표준 설계안이 있으면 설계의 통일성과 명확성을 가질 수 있다.
② 대표적인 표기법으로 C언어와 베이직 등이 많이 이용된다.
③ 데이터베이스 검색 시간, 입력 시간 등 여러 노력과 시간을 줄일수 있다.
④ 특정 제어기에 대해 제어 버튼, 키보드명령, 알람을 표시하는 색상과 같은 것들을 통일성 있게 정의하여 사용할 수 있다.

58. HMI의 기능설계 순서를 차례대로 나열한 것으로 옳은 것은 무엇인가?

ⓐ 통신방법 설정　ⓑ 기본적인 시스템 구성
ⓒ 네트워크 구성　ⓓ I/O 리스트 작성

① ⓐⓑⓒⓓ　② ⓑⓐⓒⓓ
③ ⓓⓒⓑⓐ　④ ⓐⓒⓑⓓ

59. 다음 중 HMI의 적용 분야로 성격이 **다른 것**을 고르시오.
① 자동창고 시스템　② 빌딩 자동제어 시스템
③ 방범 시스템　④ IIS

60 다음 중 계측장치에 속하지 않는 것을 고르시오.
① 로드셀　② 엔코더
③ 디스플레이　④ 센서

61. HMI의 특징 3가지를 기술하시오.
①.
②.
③.

62. HMI 소프트웨어의 주요 기능이 아닌 것을 고르시오.
① 직관적이면서도 쉽게 사용 가능한 GUI 환경
② 현장정보 DB화 및 동적 그래픽 디스플레이, 트렌딩, 리포팅, 한글처리 기능
③ 개방된 시스템 구조
④ 일관적이고 단순한 그래픽 환경 제공

63. 다음에서 설명하는 통신방법은 무엇인가?
TCP/IP 프로토콜을 이용한 통신방식으로 랜카드와 랜케이블을 이용해 통신 할 수 있다. 빠른 속도와 원거리통신, 다중접속 등의 장점으로 가장 많이 사용되는 방식이다.

① Ethernet ② RS422
③ HDMI ④ Wifi

64. 데이터베이스는 사용자의 질의에 대하여 즉시 처리하는 계속적인 진화적 특성을 가지고 있다. (O , X)

65. HMI와 연동된 설비 사용시 유의 사항으로 옳지 않은 것을 고르시오.
① 케이블을 연결하거나 분리할 때에는 메인 전원이 차단된 상태에서 한다.
② 실린더 작동시에는 협착사고가 나지 않도록 안전사고에 유의한다.
③ 산업안전법규를 준수한다.
④ 공압호스를 연결 또는 분리할 때에는 메인 밸브를 열어 놓은 상태에서 한다.

66. HMI 화면 배치시에 가급적 피해야 될 행동으로 가장 적절한 것을 고르시오.
① 여러 개의 페이지로 구성된 경우 전환을 쉽게 하도록 전환 버튼이 배치되어야 한다.
② 주로 많이 보는 메인 화면에는 가동상태, 주요 데이터, 비상정지 등 중요한 기능의 버튼을 배치한다.
③ 파일의 용량을 줄이기 위하여 최대한 그래픽적 요소는 자제한다.
④ 비슷한 기능을 하는 것끼리 모아서 배치하면 좋다.

67. Relay 제어반과 비교했을 때, PLC의 상대적 이점에 대해 기술하시오.
( )

68. PLC는 Relay 제어반이 점차 대중화됨에 따라 서서히 산업계에서 선호도를 잃어가고 있다. (O , X)

69. 특정 범위의 아날로그 값을 숫자로 표시하는 것보다 값의 범위를 알아보

기 쉽게 계기판 형태의 그래픽으로 표시하는 요소를 램프라고 부른다.
(O , X)

70. SCADA 시스템의 주요 기능으로 옳지 않은 것을 고르시오.
① 원격장치의 경보 상태에 다라 미리 규정된 동작을 하는 감시시스템의 기능인 경보기능
② 원격외부 장치를 선택적으로 수동,자동 또는 수,자동 복합으로 동작하는 감시 제어 기능
③ 개방된 시스템 구조
④ 디지털 펄스 정보를 수신, 합산하여 표시,기록에 사용할 수 있도록 한다.
⑤ 원격 장치의 상태정보를 수신, 표시,기록하는 감시 시스템의 지시,표시 기능

71. 보기는 HMI의 적용분야와 구분을 연결한 것이다. 옳지 않은 것을 고르시오.
ㄱ. 플랜트 자동화 - 로봇 및 자동화 기기,철강
ㄴ. 수처리 분야 - 정수시설, 오폐수 처리
ㄷ. 전력분야 - 발전소 발전설비
ㄹ. 조립/특수 산업 - 석유화학, IBS, Mobile 기기
ㅁ. 빌딩자동화 -소각설비,주차설비
ㅂ. 유틸리티 제어 - 시멘트, 보일러설비, 자동차, 통신

① ㄱ,ㄴ,ㄷ ② ㄷ,ㄹ,ㅁ ③ ㄱ,ㄷ,ㅁ ④ ㄱ,ㄹ,ㅁ ⑤ ㄴ,ㄷ,ㅁ

72. 다음 빈칸에 들어갈 말을 쓰시오.
각종기계나 공정 등의 제어를 위하여 종래에 사용하던 릴레이, (ㄱ)등의 기능이 반도체 소자와 소프트웨어로 구성되어 있어 (ㄱ), 카운터는 물론 (ㄴ)을 내장하고 있으며 프로그램을 작성 할 수 있는 메모리를 갖고 있는 전기 제어장치를 말한다

73. 다음에서 설명하는 것은 무엇인지 쓰시오.
회전방향의 기계적 변위량을 디지털량에 변환하는 위치센서를 총칭하는 것으로서 본래 이것은 회전각 측정용의 검출기로써 고안된 것으로 근래에는 로봇이나 정보기기의 위치결정 서보계에 사용되는 등 용도가 넓어져, 그 역할의 중요성도 커지고 있다.

74. HMI의 특징 중 "개방형 시스템"에 대해 옳은 것은?
① Ethernet 기반의 LAN,인터넷 등을 통한 네트워크를 구축하여 공정 진행 상태를 현장이 아닌 곳에서도 감시할 수 있다.
② 시스템의 확장성과 유연성을 높일 수 없다.
③ 시스템 개발자가 스스로 원하는 제어를 프로그램 할 수 있는 기능들이 추가되고 개선됨으로써 사용자의 요구에 맞는 시스템을 구축할 수 있다.
④ 다양한 하드웨어를 위한 I/O 드라이버를 지원하지 않는다.
⑤ 어떤 I/O 디바이스를 사용할 것인지를 시스템 개발자 또는 사용자가 결정할 수 없다

75. 이중화 시스템의 종류 중 옳지 않은 것은?
① 통신 이중화
② 서비스 이중화
③ I/O 디바이스 이중화
④ 네트워크 이중화
⑤ 컴퓨터 이중화

76. Ethernet 통신 방법의 순서로 알맞게 나열 된 것은?
① IP주소 할당 → TCP/IP 통신테스트 → TCP/IP 설치와 환경설정
② IP주소 할당 → TCP/IP 설치와 환경설정 → TCP/IP 통신 테스트
③ TCP/IP 통신테스트 → IP주소 할당 → TCP/IP 설치와 환경설정
④ TCP/IP 설치와 환경설정→ TCP/IP 통신테스트 → IP주소 할당
⑤ TCP/IP 설치와 환경설정 → IP주소 할당 → TCP/IP 통신 테스트

77. HMI 설계시 고려사항으로 옳지 않은 것은?
① 기계장치를 그래픽에서 어떻게 표현할 것인가
② 페이지 운용을 어떻게 할 것인가
③ 어떤 데이터를 화면에 표시할 것인가
④ 운전자가 제어 할 것은 무엇이며, 그것은 어디에 어떻게 표시 될 것인가
⑤ 무슨 프로그램을 사용할 것인가

78. 표기법의 종류 중 옳지 않은 것은?
① 파스칼 표기법 ② 헝가리안 표기법 ③ 카멜 표기법 ④ 로마자 표기법

79. 보기에서 설명하는 통신방법은 무엇인지 쓰시오.

몇몇 종류의 PLC들은 컴퓨터에 그들의 전용보드 를 설치해야만 하는 경우가 있다. PLC전용보드들은 PLC업체에서 공급하고 있으며, PLC또는 PLC 네트워크에 연결하는데 사용된다. PLC와 전용보드를 연결하는 케이블도 보통 PLC 업체로부터 공급된다.

80. 추가기능 작업 중 옳은 것은?

① Report 작성 ② I/O리스트 작성
③ 그래픽 생성 ④ I/O 맵에 따른 데이터베이스 구성

81. 데이터베이스의 데이터의 종류로 옳지 않은 것은?

① 통합데이터 ② 저장 데이터
③ 운영 데이터 ④ 빅 데이터 ⑤ 공용 데이터

82. '사람과 기계의 커뮤니케이션을 도와주는 다양한 방법이 동원되는 장치'라고 말할 수 있는 소프트웨어 기술은?

83. 다음 HMI 소프트웨어의 주요기능 중 옳지 않은 것은?

① 강력한 프로그래밍 툴 지원 ② 개방된 시스템 구조
③ 다양하고 화려한 그래픽 환경 제공
④ 네트워크 연결, 단일화 시스템의 지원

84. 엔코더의 종류 중 회전각을 검출하는 엔코더는 로터리 엔코더 이다. (O,X)

85. 다음 네모 칸에 있는 HMI 기능 설계를 순서대로 올바르게 나열하시오.

ㄱ. 기본적인 시스템 구성 ㄴ. 그래픽 생성
ㄷ. 추가 기능 작업 ㄹ. 드라이버 및 데이터베이스 구성

86. 다음 중 HMI 설계 시 고려해야 할 사항이 아닌 것은?

① 기계장치를 그래픽에서 어떻게 표현할 것 인가
② 페이지 운용을 어떻게 할 것인가
③ 보고서를 편집하기 위해서 필요한 것들은 무엇이 있는가
④ 어떤 데이터를 화면에 표시할 것인가

87. 다음 중 HMI의 구성요소인 데이터베이스의 특징 중 옳지 않은 것은?
① 데이터 논리적 통일성　　② 동시 공유
③ 내용에 의한 참조　　④ 실시간 접근성

88. 다음 중 데이터의 종류로 옳지 않은 것은?
① 저장 데이터　　② 접근 데이터
③ 운용 데이터　　④ 공용 데이터

89. 다음 중 공압 실린더를 이용한 수행 내용을 실시 할 때 지켜야 할 안전사항이 아닌 것은?
① 공압 호스를 연결 또는 분리할 때에는 메인 밸브를 연 상태에서 한다.
② 실린더 작동 시에는 협착사고가 나지 않도록 안전사고에 유의한다.
③ 실험대상물이 파손되지 않도록 조심해서 다룬다
④ 실습실 내부의 실습 규정에 따른다.

연습문제 7 (PLC, HMI)

1. HMI의 정의에 대해 간단히 기술하시오.

2. 다음 표는 HMI가 적용되는 분야에 대한 것이다. ㉠~㉣에 들어갈 알맞은 말을 쓰시오.

분야	구분
플랜트 자동화	철강 석유화학
수처리 분야	㉠, 오폐수 처리
㉡	발전소, 발전설비
조립/특수 산업	로봇 및 자동화 기기, Mobile 기기, 소각설비
빌딩자동화	IBS, ㉢
㉣	시멘트, 보일러설비, 자동차, 통신, 우주항공, 가전

3. 로드셀(Load Cell)이란 무엇인가?

4. 엔코더(Encoder)란 무엇인가?

5. 디지털 출력 센서의 종류 2가지를 쓰시오.

6. 아날로그 출력 센서의 종류 2가지를 쓰시오.

7. 개방형 시스템의 이점을 쓰시오.

8. 공장 자동화 시스템(Factory Automation System)의 종류가 아닌 것은? ( )

① 자동창고 시스템　② 계측기 시스템

③ 생산관제 시스템　④ 실시간 물관리 시스템

9. HMI 설계시 고려사항을 모두 고르시오. (　　　　)

① 페이지 운용을 어떻게 할 것인가

② 필요하다면 시스템의 보안 설정은 어떻게 할 것인가

③ 알람 상태를 감시할 조건들에는 어떤 것들이 있는가

④ 보고서를 관리하기 위해서 필요한 것들은 무엇이 있는가

10. HMI 구성요소 3가지를 쓰시오.

11. 데이터 베이스의 특징중 동시 공유(concurrent sharing)에 대한 설명으로 알맞은 것은? (　　　)

① 사용자의 질의에 대하여 즉시 처리하여 응답하는 특징을 갖는다.

② 여러 사용자가 동시에 원하는 데이터를 공유할 수 있는 특징을 갖는다.

③ 삽입, 삭제, 갱신을 통하여 항상 최근의 정확한 데이터를 동적으로 유지하는 특징이 있다.

④ 응용프로그램과 데이터베이스를 독립시킴으로써 데이터의 논리적 구조를 변경시키더라도 응용프로그램은 변경되지 않는 특징을 갖는다.

12. 데이터의 종류중 저장 데이터(stored data)의 정의를 간단히 기술하시오.

13. 다음 중 SCADA의 적용 분야가 아닌 것은?
① 제철공정 시설 ② 공장 자동화 시설
③ 오폐수 처리 시설 ④ 석유화학 플랜트

14. 다음 중 HMI의 주요 기능으로 옳지 않은 것을 고르시오.
① 로직 자동제어 ② 강력한 프로그래밍 툴 지원
③ 인터넷과 맞물려 COM으로 발전 ④ 간단하고 심플한 그래픽 환경제공

15. 보기 중 중량을 측정하는 계측장치는?
①로드셀 ②엔코더 ③웨이터 ④센서류

16. 다음 중 HMI의 특징이 아닌 것은?
①편리한 사용환경 ②신속한 성능 향상 ③유연한 시스템 구성 ④간편한 조작

17. 다음 보기 중 고도의 신뢰성이 요구되는 시스템을 고르시오.
①분리 시스템 ②stand-alone 시스템 ③이중화 시스템 ④복합 시스템

18. 2대의 서버 컴퓨터를 동기화시켜 이중화하는 방식을 라인 이중화라고 한다.
(O, X)

19. 다음 보기 중 HMI 기능설계 순서로 올바른 것을 고르시오.
ㄱ. 기본적인 시스템 구성 ㄴ. 드라이버 및 데이터 베이스 구성
ㄷ. 그래픽 생성 ㄹ. 추가기능 작업

① ㄱ-ㄴ-ㄷ-ㄹ ② ㄱ-ㄷ-ㄹ-ㄴ ③ ㄴ-ㄱ-ㄹ-ㄷ ④ ㄷ-ㄴ-ㄹ-ㄱ

20. HMI의 제어 구성 체계로 올바른 것은?
①데이터베이스 ②센서 ③실린더 ④램프

21. HMI의 구성요소 중 데이터의 종류가 아닌 것은?
①저장 데이터 ②통합 데이터 ③공용 데이터 ④실행 데이터

22. 다음 보기 중 빌딩 자동화 시스템의 종류로 아닌 것은?
①ISS ②빌딩 자동제어 시스템 ③방화 시스템 ④방재 시스템

23. HMI의 구성요소가 아닌 것은?
①그래픽 ②데이터베이스 ③소스코드 ④디스플레이

24. HMI 설계 시에는 알람 상태를 감시할 조건들에는 어떤 것이 있는지 알아야 한다. (O, X)

25. HMI의 주요기능 3가지를 서술하시오.

26. 아날로글 출력 센서 2가지를 서술하시오.

27. HMI 시스템의 구성 2가지를 서술하시오.

28. HMI 구성요소 중 데이터의 종류 4가지를 전부 서술하시오.

29. HMI 화면의 종류 중 알맞지 않은 것을 고르시오.
① 공정모니터링 화면
② 트랜드 화면
③ 데이터 조회 화면
④ 자동 조작 화면

30. 다중 상태 버튼에 대하여 간단하게 서술하시오.

31. 트랜드 화면의 장점을 1가지 서술하시오.

32. IO 모니터링 화면에 대해 간단하게 서술하시오.

33. 전반적인 시스템 정보를 한눈에 모니터링 할 수 있는 화면이 필요하다. 이때, 만들 수 있는 화면의 종류는?

① 공정 모니터링 화면
② 트랜드 화면
③ 데이터 조회 화면
④ 자동 조작 화면

34. 데이터 표시계에서 표시의 종류 2가지를 서술하시오.

35. HMI화면의 구성요소 2가지를 서술하시오.

36. 데이터 베이스의 특징 2가지를 서술하시오.

37. 다음중 HMI 통신방법이 아닌 것은?.

① RS232C ② RS422 ③ RS485 ④ RS503

38. Ethernet 통신 방법의 순서를 바르게 짝지은 것은?
① IP주소 할당 - TCP/IP 설치와 환경설정 - TCP/IP 통신테스트
② TCP/IP 통신테스트 - TCP/IP 설치와 환경설정 - IP주소 할당
③ TCP/IP 통신테스트 - IP주소 할당 - TCP/IP 설치와 환경설정
④ TCP/IP 설치와 환경설정 - IP주소 할당 - TCP/IP 통신테스트

39. HMI의 특징중 옳지 않은것은?
① 편리한 사용환경　② 개방형 시스템
③ 단일화된 시스템 구성　④ 신속한 성능 향상

40. MMI란 무엇인지 서술하시오.

41. SCADA(Supervisory Control and Data Acquisition)는 집중 원격 감시 제어 시스템 또는 감시 제어데이터 수집시스템이라 한다. (O , X)

42. HMI의 적용 분야를 서술하시오.(단답형, 2가지 이상)

43. 제어구성 체계가 아닌것은?
① 상태화면 디스플레이　② 조작 및 설정
③ 내부 메모리　④ 데이터베이스

44. 다음중 파스칼 표기법이 아닌것은?
① BackColor
② CreatemyName
③ GameEngine
④ BaseData

45. 카멜 표기법의 표기방법을 서술하시오.

46. HMI 구성요소 중, "장비의 상태 또는 조건 등을 표시하기 위해서 컴퓨터 화면에 표시되는 부분"을 뜻하는 단어는?

47. 다음 중 HMI화면 구성요소로 바르지 않은것은?
① 일반버튼
② 센서
③ 데이터 표시계
④ 램프

48. 트랜드 그래프란 무엇인지 서술하시오.

49. 석유화학 플랜트, 제철공정 시설, 공장 자동화 시설 등 여러 종류의 원격지 시설 장치를 중앙 집중식으로 감시 제어하는 시스템을 무엇이라 하는가?

50. SCADA 시스템의 주요 기능을 2가지 이상 서술하세요.

51. HMI의 주요 기능에 대해 올바르지 않은 것은?
① 사용자의 편리성을 도모하기 위한 직관적이면서도 쉽게 사용 가능한 GUI 환경
② 개방된 시스템 구조
③ 로직 자동제어, 사용자 정의의 프로그램 추가
④ 네트워크 연결, 단일 시스템의 지원
⑤ 인터넷과 맞물려 COM(Component Object Model)으로 발전

52. 릴레이와 PLC제어의 비교가 올바르지 못한 것은?

분야	Relay 제어반	PLC
① 제어방식	Hard Logic	Soft Logic
② 제어기능	Relay(직렬, 병렬접점) Timer, Counter (기능은 한정적이고 규모에 따라 대형화)	Relay(AND, OR, NOT) Up-down counter, Register(고기능, 대규모의 제어를 소형으로 실현
③ 제어요소	유접점	무접점
④ 시스템의 특징	독립된 제어장치	시스템의 확장이 용이 컴퓨터와의 연결가능
⑤ 보전성	고신뢰성, 장수명으로 유지보수 비용이 적다	보수 및 수리공사가 오래걸림

53. 계측장치의 종류와 그에 대한 설명에 맞는 것을 연결하시오.

㉮ 자연현상을 연구 • • 과학계기
㉯ 산업공정 프로세스의 조업관리 • • 항해계기
㉰ 환자의 증세를 감시 • • 공업계기
㉱ 항공 운항 정보를 얻기 위함 • • 의료계기

54. HMI의 특징에 대해 올바르지 않은 것은?

① 기계와 기기간의 접속 원활
② 개방된 시스템
③ 신속한 성능 향상
④ 편리한 사용환경
⑤ 유연한 시스템 구성

55. 공장 자동화 시스템의 종류로 옳은 것을 두 가지 고르시오.

① 공정 감시/제어 시스템
② 자동창고 시스템
③ 정수, 상수, 오수/폐수처리 시스템
④ 생산공정 감시/제어 시스템
⑤ 소각로 감시/제어 시스템

56. HMI 설계시 고려사항에 대해 3가지 이상 서술하세요.

57. HMI에서 많이 사용되는 화면의 종류 중 옳지 않은 것은?
① 공정모니터링 화면
② 트랜드 화면
③ 자동조작 화면
④ 환경설정 화면
⑤ IO 모니터링 화면

58. HMI에서 많이 사용되는 구성요소 중 옳지 않은 것은?
① 다중상태 버튼 ② 설정값 버튼
③ 램프 ④ 상태표시 요소 ⑤ 사진, 동영상

59. 제어 블록도 작성하는 순서가 올바르게 나열된 것은?

㉮ 서로간의 연결된 경로를 선으로 이어준다.
㉯ 각 구성요소의 이름을 기입하고 나열한다.
㉰ 케이블 및 구성 요소의 I/O 종류에 따라 연결선 부근에 해당 IO 이름을 기입한다.

① ㉮ → ㉯ → ㉰
② ㉮ → ㉰ → ㉯
③ ㉯ → ㉰ → ㉮
④ ㉯ → ㉮ → ㉰
⑤ ㉰ → ㉯ → ㉮

60. 일반적으로 컴퓨터, 기계, 장치, 시스템과 그것을 이용하는 사람 간의 인터페이스로 시각, 청각, 촉각적인 것을 모두 포함하는 프로그램을 PLC 라고 한다.
(O , X)

61. HMI의 적용분야와 구분이 알맞게 짝지어진 것을 고르시오.
① 플랜트 자동화-시멘트
② 수처리 분야-주차설비
③ 전력분야-소각설비
④ 빌딩자동화-IBS
⑤ 조립/특수 산업-석유화학

62. HMI의 특징으로 알맞지 않은 것은?
① 편리한 사용환경
② 개방형 시스템
③ 유연한 시스템 구성
④ 신속한 성능향상
⑤ 제어데이터 수집시스템

63. HMI의 구성요소를 2가지 이상 서술하시오..

64. HMI 화면의 종류로 알맞지 않은 것은 무엇인가?
① 공정모니터링 화면 ② 트랜드 화면 ③ 데이터 조회 화면
④ 자동조작 화면 ⑤ 환경설정 화면

65. 다음 중 옳지 않은 것은 무엇인가?
① HMI화면 구성요소에는 일반버튼이 있다.
② HMI화면 구성요소에는 상수 설정값 버튼이 있다.
③ HMI화면 구성요소에는 증감 버튼이 있다.
④ HMI화면 구성요소에는 램프가 있다
⑤ HMI화면 구성요소에는 특수 버튼이 있다.

66. 계측장치의 종류를 2가지 이상 서술하시오.

67. 제어구성도 및 IO리스트를 작성할 때 주의해야할 안전·유의 사항으로 올바르지 않은 것은?
① 실험대상물이 파손되지 않도록 조심해서 다룬다
② 디지털센서 및 램프를 연결할 때에는 신호선과 그라운드 선을 확인하여 주의하여 연결한다
③ 실습실 내부의 실습 규정과 관계없이 산업안전법규만 따르면 된다.
④ 산업안전법규를 준수한다.
⑤ 케이블을 연결하거나 분리할 때에는 메인 전원이 차단된 상태에서 한다.

68. 이중화시스템의 설명으로 올바르지 않은 것은?
① LINE 이중화
② 서버 이중화
③ 통신 이중화
④ 분산 시스템
⑤ 네트워크 이중화

69. LINE 이중화는 PLC등의 디바이스 포트와 라인을 이중화 하는 방식이다.
① O ② X

70. Ethernet 통신방법의 딘계는 IP주소 할당, TCP/IP 설치와 환경설정, TCP/IP 통신테스트의 세단계로 구성된다
① O ② X

71. 제어장치의 일종으로 프로그램 제어에 가장 많이 사용되는 장비인 이것은 무엇인가?

72. 데이터 표시계에서 구성요소의 형태와 기능을 올바르게 짝지어보시오

(가) 숫자 표시 ●	● (가) HMI의 시간을 표시한다
(나) 시간 표시 ●	● (나) HMI의 요일을 표시한다
(다) 요일 표시 ●	● (다) 지정한 주소값을 표시한다
(라) 일자 표시 ●	● (라) HMI의 일자를 표시한다

73. HMI의 주요기능을 2가지 이상 서술하시오.

74. 중량을 측정하는 장치로서 하중을 가하면 크기에 비례하여 전기적 출력이 발생되는 힘 변환기의 총칭은?

75. 엔코더의 종류는 크게 회전각을 검출하는 ( ) 엔코더와 선형적 이동 거리 값을 검출하는 ( ) 엔코더로 구분할 수 있다. 괄호 안에 들어갈 알맞은 말을 넣으시오.

76. HMI 시스템은 대부분 개방형 시스템으로 설계되어 외부의 시스템, 사용자 응용 프로그램, 상용 패키지들과 데이터를 주고 받을 수 있다. 여기서 개방형 시스템의 이점은?

77. 최근에는 많은 HMI/SCADA 시스템이 이중화를 기본으로 제공하고 있는데, 제공하는 이중화 시스템으로 알맞지 않은 것은?
① 통신 이중화
② 컴퓨터 이중화
③ 네트워크 이중화
④ I/O 디바이스 이중화
⑤ 설비 이중화

78. 공장 자동화 시스템으로 알맞지 않은 것은?
① 생산관제 시스템
② 자동창고 시스템
③ 공정 감시/제어 시스템
④ 설비진단 및 관리 시스템
⑤ 계측기 시스템

79. HMI의 구성요소를 2개 이상 작성하시오.

80. 다음 직렬통신 방법중 표준 통신 방법이 아닌 것을 모두 고르시오.
① RS-232C ② RS-422
③ RS-285 ④ RS-432
⑤ RS-485

81. PLC 내부메모리로부터 읽어들인 I/O 정보 및 특정데이터 값 등을 필요에 따라 저장하는 역할을 하는 것은?

82. 데이터베이스의 데이터 종류 중 2가지 이상 서술하시오.

83. 집중 원격감시 제어시스템 또는 감시 제어데이터 수집시스템이라고 하는 것은?

84. (　) 기능에서 인간중심적 사고에서 '인격을 부여하였다' 라는 의미로 (　) 라는 용어를 사용한다고 한다. 괄호 안에 들어갈 말을 순서에 맞게 서술하시오.

85. SCADA가 하는 기능 중 올바르지 <u>않은</u> 것은?
① 사용자가 **편리**하게 **사용**할 수 있도록 도와줌
② 원격외부 장치를 동작하는 **감시 제어 기능**
③ 디지털 펄스 정보를 수신, 합산하여 **표시・기록**에 사용할 수 있게 함.
④ 감시시스템의 기능인 **경보기능**
⑤ 감시 시스템의 **지시・표시기능**

86. HMI의 주요 기능 중 올바르지 <u>않은</u> 것은?
① 쉽게 사용 가능한 GUI 환경
② 개방된 시스템 구조
③ 로직 자동제어, 사용자 정의의 프로그램 추가
④ 네트워크 연결, 이중화 시스템 지원
⑤ 단순하고 수수한 그래픽 제공

87. 사람과 기계의 커뮤니케이션을 도와주는 <u>다양한</u> 방법이 동원되는 장치는?

88. HMI의 적용분야 중 분야와 구분이 다른 것은?
① 플랜트 자동화 - 철강, 석유화학
② 전력분야 - 발전소, 발전설비
③ 조립/특수 산업 - 로봇 및 자동화 기기
④ 빌딩자동화 - 방화 시스템, 주차설비
⑤ 유틸리티 제어 - 시멘트, 보일러설비, 우주항공

89. PLC의 특징 중 올바르지 않은 것은?
① 다품종 소량생산 체제에 따른 시스템 변경을 해결하기 위해 만들어졌다.
② 연산 기능을 내장하고 있다.
③ 온도나 노이즈에 약하다.
④ 알맞은 규모를 선정, 조합해 사용할 수 있도록 구성되어 있다.
⑤ CPU부, 입출력부, 기록부, 주변기기 등으로 구성되어 있다.

90. 엔코더의 종류 두 가지를 작성하시오. ① ②

91. HMI의 특징을 2가지 이상 작성하시오. ① ②

92. 소규모의 자동화를 해야 할 때, 가장 규모에 맞는 HMI 시스템은?

93. TCP/IP 프로토콜을 이용한 통신방식으로 랜케이블을 이용해 통신할수 있고 빠른 속도와 원거리통신, 다중접속 등의 장점으로 가장 많이 사용되는 방식은?

94. 데이터베이스의 특징으로 틀린 것은?
① 실시간 접근성
② 계속적인 진화
③ 동시 공유
④ 데이터 논리적 의존성
⑤ 내용에 의한 참조

95. HMI는 크게 그래픽, 데이터베이스, 소스코드 3가지로 분류한다.
(O , X)

96. HMI 화면의 종류로 올바르지 않은 것은?
① 공정모니터링 화면
② 데이터 통합 화면
③ 데이터 조회 화면
④ 수동조작 화면
⑤ 환경설정 화면

97. 빈칸에 들어갈 알맞은 말을 적으시오.
○○○○○는 집중 원격감시 제어시스템 또는 감시 제어데이터 수집시스템이라고 한다.

98. HMI의 주요 기능으로 옳지 않은 것을 고르시오.
① 개방된 시스템 구조
② 네트워크 연결, 이중화 시스템 지원
③ 사용자의 편리성을 도모하기 위한 객관적이면서도 쉽게 사용 가능한 GUI 환경
④ 단순한 제어노드 관제로부터 배치 자동화, 프로세서 제어, 설비 결과물로서 고도 지능화된 제어 솔루션 기능

99. HMI 시스템의 구성으로 옳지 않은 것을 고르시오.
① STAND-ALONE 시스템 ② 분산 시스템
③ 이중화 시스템 ④ 단일품목 시스템

100. HMI에 대한 설명으로 옳지 않은 것을 고르시오.
① HMI란 작업자와 설비 간에 인터페이스를 쉽고 편하게 해주는 목적으로 발전된 개념이라고 정의하고 있다.
② 일반적으로 컴퓨터, 기계, 장치, 시스템과 그것을 이용하는 사람 간의 인터페이스로 시각, 청각, 촉각적인 것을 모두 포함한다.
③ Human Machine Internet의 약자이다.
④ '사람과 기계의 커뮤니케이션을 도와주는 다양한 방법이 동원되는 장치' 라 말할 수 있다.

101. 제어장치의 일종으로 프로그램 제어에 가장 많이 이용되고 있는 장비를 적으시오.

102. 계측장치의 종류로 옳지 않은 것을 고르시오
① 로드셀 ② 엔코더 ③ 디코더 ④ 센서류

103. HMI의 특징으로 올바른 것을 모두 고르시오
① 단일적인 시스템 구성
② 편리한 사용환경
③ 신속한 성능 향상
④ 폐쇄형 시스템

104. HMI의 적용 분야와 구분으로 옳지 않은 것을 고르시오
① 조립/특수 산업-Mobile기기
② 조립/특수 산업-로봇 및 자동화 기기
③ 수처리 분야-정수시설
④ 유틸리티 제어-IBS

105. HMI 기능설계의 순서의 첫 번째를 서술하시오

106. HMI의 그래픽 구성요소의 버튼 종류로 옳지 않은 것을 고르시오.
① 일반버튼
② 다중상태 버튼
③ 상수 설정값 버튼
④ 위치조작 버튼

107. HMI의 그래픽 구성요소로 옳지 않은 것을 고르시오
① 버튼
② 램프
③ 계기
④ I/O 구성 창

108. SCADA의 기능으로 옳지 않은 것을 고르시오
① 원격장치의 경보 상태에 따라 미리 규정된 동작을 하는 감시시스템의 기능인 경보기능
② 원격외부 장치를 선택적으로 수동, 자동 또는 수•자동 복합으로 동작하는 감시•제어 기능
③ 원격 장치의 상태정보를 수신, 표시•기록하는 감시 시스템의 지시•표시 기능
④ 아날로그 펄스 정보를 수신, 합산하여 표시•기록에 사용할 수 있도록 한다.

109. HMI의 그래픽 구성 요소로 옳지 않은 것은?
① 일반 버튼 ② 램프 ③ 계기 ④ 다중상태 버튼 ⑤ 센서

110. HMI의 구성요소 중 데이터베이스의 종류로 옳지 않은 것은?
① 실시간 데이터 ② 통합 데이터 ③ 저장 데이터
④ 운영 데이터 ⑤ 공용 데이터

111. HMI 설계 시 고려사항으로 옳지 않은 것은?
① 페이지 운용을 어떻게 할 것인가
② 어떤 데이터를 화면에 표시할 것인가
③ 운전자가 제어할 것은 무엇이며, 그것은 어디에 어떻게 표시될 것인가
④ 보고서를 관리하기 위해서 필요한 것들은 무엇이 있는가
⑤ 사용자가 최대한 편리하게 사용하기 위해서 어떻게 디자인을 할 것인가

112. HMI 기능설계 순서를 순서대로 나열한 것은?

가. 기본적인 시스템 구성 나. 그래픽 생성
다. 추가기능 작업 라. 드라이버 및 데이터베이스 구성

① 가-나-다-라 ② 가-나-라-다
③ 가-라-나-다 ④ 가-라-다-나 ⑤ 가-다-라-나

113. HMI의 적용 분야로 옳지 않은 것은?
① 공정 자동화 시스템 ② 공장 자동화 시스템 ③ 빌딩 자동화 시스템
④ 원격 감시/제어 시스템 ⑤ 전력분야 자동화 시스템

114. HMI / SCADA 시스템의 구성 방법 중 다음 보기가 설명하는 구성 방법은 무엇인지?

단위 공정이나 소규모의 단순 자동화에 흔히 이용된다. 하위 I/O 디바이스와의 통신에 의한 데이터 수집 및 저장, 실시간 및 이력 데이터베이스의 관리, HMI 기능 등이 모두 포함된다.

115. HMI의 특징으로 옳지 않은 것은?
① 편리한 사용환경 ② 이중화 시스템의 지원 ③ 개방형 시스템
④ 유연한 시스템 구성 ⑤ 신속한 성능 향상

116. SCADA 시스템의 주요 기능으로 옳은 것은?
① 원격장치의 경보 상태에 상관없이 일관된 동작을 하는 감시시스템의 기능인 경보 기능
② 원격 외부 장치를 자동으로 동작하는 감시 제어 기능
③ 원격장치의 상태정보를 수신, 표시·기록하는 감시시스템의 지시·표시 기능
④ 디지털 펄스 정보를 수신하여 표시할 수 있도록 한다.
⑤ 현장정보 DB화 및 동적 그래픽 디스플레이, 트렌딩, 리포팅, 한글처리 기능

117. 통신 경로 상의 아날로그 또는 디지털 신호를 사용하여 원격장치의 상태정보 데이터를 원격소 장치(Remote Terminal unit)로 수집, 수신, 기록, 표시하여 중앙제어 시스템이 원격장치를 감시제어하는 시스템이 무엇인지 쓰시오.

118. HMI와 연결되어 사용되는 대표적인 기계장비로 옳지 않은 것은?
① PLC ② Relay 제어반 ③ 로드셀 ④ 엔코더 ⑤ 근접 센서

119. HMI와 각종 입/출력 장치 간의 통신방식으로 옳지 않은 것은?

① RS-232 통신방식

② RS-232C 통신방식

③ RS433 통신방식

④ RS485 통신방식

⑤ Ethernet 통신방식

120. HMI 기능설계에서, 추가기능 작업에 해당하지 않는 것은?

① Trend 작성 ② I/O 리스트 작성

③ Alarm List 작성 ④ Report 작성